누구나 이해하기 쉬운
쌍둥이 사주 간명법

누구나 이해하기 쉬운 쌍둥이 사주 간명법

발 행 | 2024년 03월 20일
저 자 | 이홍신
펴낸이 | 한건희
펴낸곳 | 주식회사 부크크
출판사등록 | 2014.07.15.(제2014-16호)
주 소 | 서울특별시 금천구 가산디지털1로 119 SK트윈타워 A동 305호
전 화 | 1670-8316
이메일 | info@bookk.co.kr

ISBN | 979-11-410-7719-8

www.bookk.co.kr

머리말

본 저서는 성별이 같은 일란성 쌍둥이의 사주 이론과 명리학적 간명법에 관한 연구이다. 한날한시에 태어난 일란성 쌍둥이라도 삶의 행로는 천차만별이다. 일란성 쌍둥이의 삶의 행로가 천차만별이듯 명리학적 관점에서 제시되고 있는 일란성 쌍둥이의 간명법 이론도 다양하다. 본 연구는 명리원전(命理原典)의 이론과 현재 활용되고 있는 쌍둥이 간명 이론을 비교 분석하였으며, 이론의 문제점 및 개선점 그리고 획일적 이론으로 정립할 방안에 관한 연구를 하였다.

연구 방법으로는 다수의 명리원전과 단행본 그리고 선행 논문을 먼저 살펴본 후, 쌍생아에 관한 간명 이론에 대한 원인을 분석해 보았다. 또한 명리 상담사에 대한 대면상담, 실증분석, 등 다양한 경로를 통해서 연구의 질과 양을 객관화하였다. 명리원전은 『삼명통회』, 『적천수천미』, 『궁통보감』, 『명리탐원』, 『명리약언』, 단행본은 『정선명리학강론』, 선행 논문은 「쌍둥이 사주 간명에 관한 연구」, 「쌍둥이 사주 이론의 분석 및 간명에 관한 연구」, 「쌍둥이 사주의 명리학적 간명에 관한 연구」,등을 중점적으로 활용하였다.

본 저서는 현대의 사주명리학자들이 쌍생아 사주 간명에 주로 활용하고 있는 차시법(次時法), 대합법(對合法), 대운순역법(大運順逆法), 시주격국간명법(時柱格局看命法), 등을 위주로 심도 있게 연구하였다. 이들 이론의 논리적인 면과 문제점을 먼저 분석한 후 실효성이 있는 쌍둥이 사주의 간명법을 도출하기 위해서이다. 그 결과 최근까지 가장 많이 활용되었던 차시법의 근거에 문제가 있다는 것을 발견할 수 있었다. 즉 명리원전에서 예제로 제시하고 있는 쌍둥이 사주의 사례를 근거로 학자들은 차시법을 주장하고 있다. 그러나 그 예제는 모두 시간을 달리해서 태어난 쌍둥이의 사례이다. 같은 날 같은 시간에 태어난 쌍둥이 사주의 예제는 명리원전에서 찾아볼 수가 없었다. 따라서 명리원전에 나와 있는 쌍둥이 사주의 예제를 근거로 차시법을 주장하는 것은 무리가 있다.

그리고 사주를 인위적으로 변경하는 대합법(對合法)과 대운순역법(大運順逆

法)은 사주명리의 근본원리를 부정하는 이론이므로 타당성이 없다. 즉 음양의 원리를 부정하는 이론이다. 대합법은 인간의 생리적인 면을 명리학에 접목한 이론이라고 할 수 있다. 그런데 명리학은 음양오행학(陰陽五行學)으로써 시간의 흐름과 공간의 변화를 보고 만들었다고 한다. 따라서 인간의 생리적 현상이라는 미세한 부분까지 살펴서 만든 이론이 아니다. 그 당시에는 의학이 발달하지 못하여 쌍둥이가 대칭으로 마주 보고 있는지 확인할 방법이 없었다. 또한 대운순역법은 남자의 출생연도가 양년(陽年)이거나 여자의 출생연도가 음년(陰年)이면 순행하고, 남자가 음년(陰年)이거나 여자가 양년(陽年)이면 출생 월의 주(柱)부터 역행한다는 음양의 논리를 정면으로 부정하는 이론이다.

　위와 같이 쌍둥이의 사주를 인위적으로 변경하거나 태어난 시간을 달리하는 간명법은 설득력이 없다는 게 사주명리학자들의 주장이다. 결국 쌍둥이의 사주도 태어난 시간을 그대로 적용하여 간명해야 한다는 것이다. 쌍둥이의 태어난 시간을 그대로 적용하는 간명법에는 시주간명법(時柱看命法), 시주격국간명법(時柱格局看命法), 시지지장간간명법(時支地藏干看命法)등이 있다. 그런데 이들 간명법을 실제 활용하는 학자나 또한 어떤 방식으로 사용하는지 정확히 이해하는 사람이 없다. 단순히 이론만 제시되었을 뿐 실용화되지 못하고 있다.

　본 저서는 이러한 점을 충분히 인식하고 이론 편과 실무 편으로 나누어서 심도 있게 쌍둥이 사주의 이론과 명리학적 간명법에 관하여 접근해 보았다. 먼저 이론 편에서는 쌍둥이 사주에 제시되고 있는 모든 논리를 분석해 보았고, 실무 편에서는 가장 실효성이 있다고 판단되는 쌍둥이 간명법을 활용하여 직접 실증분석을 하였다. 그 결과 놀랄 정도의 적중률을 보이는 간명법을 도출해 낼 수 있었다. 그래서 본 저자는 그 결과를 책(冊)으로 편찬하게 된 것이다. 독자들께서는 실무 편을 철저히 숙지하여 쌍둥이 사주에 적극적으로 활용할 수 있길 바란다.

　최근에 우리나라에서 다섯쌍둥이가 태어나는 사례가 있었다. 따라서 장기적으로 이들 쌍둥이 사주를 분석할 수 있는 이론의 연구도 필요하다고 본다. 현재 다란성 쌍둥이 사주에 관한 연구는 진행되지 않고 있다. 본 저자는 명리학자의 한 사람으로서 연구의 필요성을 적극적으로 주장한다. 향후 3인 이상의 다란성 쌍둥이의 출생에 대비하여 시주간명법 등 폭넓은 이론의 연구가 필요하다고 생각한다. 그리고 본 저서가 쌍둥이 사주의 명리학적 간명에 새로운 관점의 전환이 될 수 있길 희망한다.

목차

머리말

사례 표 목차

제1편
쌍둥이 사주의 이론

Ⅰ. 서론

1. 연구 배경과 목적

쌍둥이(쌍생아)의 출산율은 다양한 원인에 의하여 시대의 흐름에 맞춰서 계속 증가하는 상황이다. 쌍둥이가 증가하고 있는 주된 원인으로는 인공수정 및 시험관 시술과 같은 현대 의학 기술의 발달로 인한 것이다. 쌍둥이는 일란성(一卵性) 쌍둥이와 이란성(二卵性) 쌍둥이 그리고 삼쌍둥이와 다란성(多卵性) 쌍둥이로 구분할 수 있는데, 통계청 자료에 의하면 이들 모두 증가하고 있다.[1] 이처럼 쌍둥이의 출생률이 계속 증가하고 있음에도 불구하고 명리학적 관점에 있어서 이들 쌍둥이의 운명(運命)에 관한 연구는 미흡한 실정에 있다.

쌍둥이는 한날한시에 같은 부모로부터 태어났으므로 명리학적 관점의 논리에 따른다면 서로 같은 운명으로 살아가야 하는데 왜 다르게 살아가는가? 그리고 쌍둥이의 운명이 서로 다르다면 그 운명을 다르게 간명할 수 있는 간명법도 있지 않겠는가? 라는 의문을 시작으로 쌍둥이 사주에 관한 연구를 시작하게 되었음을 밝힌다. 쌍둥이의 운명이 서로 다른 이유에 대해서는 주변의 환경이나 교육 그리고 다양한 요소들 때문이라는 것을 누구나 쉽게 이해할 수 있을 것이다. 그러나 쌍둥이의 운명을 서로 다르게 간명할 수 있는 간명법에 대해서는 현재까지 정립된 이론이 없다. 따라서 저자는 쌍둥이에 관한 간명법을 정립하여 이들에게 닥치게 될 각종 길흉화복(吉凶禍福)을 미리 대처할 수 있도록 해 주고자 한다.

쌍둥이의 운명(運命)을 간명하는 방법은 다양하다. 특히 예전에 사용하던 방식과 현대에 사용하는 방식이 서로 다르고, 사주 명리학자들의 간명 방식뿐만

---

1) 2002년도 우리나라 다태아 출생률이 인구 대비 약 2%인 100만여 명에서 2004년에 2.11%, 2005년에 2.19%, 2012년도에 3.23%로 약 160만여 명 정도로 증가하고 있다.

아니라 일반 점술사들의 간명 방식도 서로 다르다. 그렇다면 '과거에 사용되었던 쌍둥이 간명법에는 어떤 것들이 있고, 현재 사용하고 있는 간명법에는 또 어떤 것들이 있는가?' 그리고 '어떤 간명법을 선택하는 것이 가장 효율적이겠는가?'라는 의문을 가지고 명리학적 관점에서 쌍둥이 사주에 대한 운명을 고찰하고자 한다.

본 연구는 성별이 같은 일란성 쌍둥이의 간명에 중점을 두었다. 그리고 성별이 다른 이란성 쌍둥이의 경우는 남명(男命)과 여명(女命)의 대운 적용법이 서로 달라서 특별히 간명에 문제가 될 것이 없다고 생각하여 이번 연구에서 제외하였다. 또한 향후 과제로써 3인 이상의 다란성 쌍둥이의 운명(運命)에 관한 연구도 필요하다고 생각한다. 따라서 어떤 이론이 다란성 쌍둥이의 간명에 적합한지 살펴보고자 한다.

본 연구의 진행 방법은 먼저 면담 조사 방식을 통하여 학자들이 쌍둥이 사주에 어떤 간명법을 많이 활용하고 있는지 확인해 보겠다. 그리고 직접 사례 분석을 통해서 쌍둥이 사주 간명법의 타당성 여부를 검토하고자 한다. 면담 조사는 서울을 비롯한 7개 지역(제주, 부산, 광주, 대구, 대전, 경기)에서 사주 상담을 하는 명리학자 35명을 상대로 대면 또는 전화를 이용하여 실시하였다. 그 결과 쌍둥이 사주의 간명에는 주로 차시법(次時法), 대합법(對合法), 대운순역법(大運順逆法), 시주간명법(時柱看命法) 등 무려 15가지의 간명법이 쌍둥이 사주에 활용되고 있다는 사실을 알게 되었다. 다음은 사주명리학자들과의 면담 조사를 통해서 얻을 수 있었던 쌍둥이 간명에 사용되는 이론들을 기술한다.

"쌍둥이를 간명하는 방법은 학자마다 천차만별입니다. 과거에는 주로 차시법을 활용했지만 잘 맞지 않아서 합사주를 사용하게 되었고, 합사주는 월두법이나 시두법의 조합에 잘 맞지 않을 뿐만 아니라 같은 날, 같은 시간에 태어난 쌍둥이가 몇 년씩 시간의 차가 생기는데 그것이 어떻게 맞겠습니까? 요즘은 대운을 바꿔서 보기도 하고 선생님의 말씀처럼 시주 간명법을 사용하는 사람들도 있다고 들었습니다. 하지만 쌍둥이 사주에 대해서는 확실한 답이 없습니다. 그래서 학자들의 공론화가 필요하다고 생각합니다."<2020.06.18. 11:00 - 12:00, 제보자 이0석, 61세, 남, 서울 강북구 동00철학관 운영>

위에서 살펴본 것과 같이 명리학자들은 서로 각각 다른 다양한 간명법을 사용하여 쌍둥이 사주의 상담에 활용하고 있다. 심지어 쌍둥이의 명(命)은 사주로써 해결할 수 없는 영역이다, 라는 주장까지 하고 있다. 즉 명리학의 한계를 인정하는 학자도 있다.

이러한 현상은 결국 명리학을 불신하는 원인이 된다. 명리학적 관점에서 본다면 같은 부모에게서 같은 날 같은 시간에 태어난 쌍둥이는 사주가 같으므로 같은 운명으로 살아야 한다. 하지만 서로의 삶이 다르다. 이러한 원인을 명리학으로 해결하지 못한다면 앞으로도 명리학에 대한 불신은 계속될 것으로 생각한다. 지금까지 명리학이 제도권의 학문으로 인정받지 못했던 원인 중의 하나가 쌍둥이 사주에 관한 설명이 부족했기 때문이다.

본 연구의 진행은 먼저 재야에서 통용되는 간명법을 살펴보고 저자의 주장도 제시하고자 한다. 즉 저자가 사용하는 쌍둥이 사주 간명법을 소개하고자 한다. 그 이후 현재 사회에 널리 퍼져 있는 쌍둥이 사주의 간명법을 하나하나 살펴서 가장 효율적인 간명법을 찾아내고자 한다. 왜냐하면 쌍둥이 사주 간명법에 관한 정립된 이론이 존재하고 있지 않을 뿐만 아니라 명리학자들이 각각 다른 이론을 주장하고 있기 때문이다. 따라서 가장 효율적인 쌍둥이 간명법을 찾아내어 그 논리적인 면과 문제점을 파악해서 연구 발전시켜 나간다면 앞으로 쌍둥이 사주의 간명에 많은 도움이 될 수 있으리라고 믿는다.

본 저자는 이번 연구 목적을 수행하기 위한 수단으로『삼명통회(三命通會)』,『적천수천미(滴天髓闡微)』,『궁통보감(窮通寶鑑)』,『명리탐원(命理探原)』,『명리약언(命理約言)』등 명리원전(命理原典)들을 적극적으로 활용하였다. 이는 명리원전에 나와 있는 쌍둥이 사주의 이론을 분석할 필요가 있었기 때문이다. 그래야 각 이론의 근원을 확인할 수 있다고 여겼기 때문이다.

그다음으로 선행학문을 살펴보았다. 그런데 쌍둥이 사주의 선행연구는 거의 없는 실정이다. 단행본은 『정선명리학강론』(김만태, 동방문화대학원대학교, 2020)에서 쌍둥이 사주 간명에 대해 별도로 장을 구성해 설명하고 있을 뿐이다. 그리고 선행 논문은 「쌍둥이 사주 간명에 관한 연구」(홍득기, 대구한의대학교 석사학위논문, 2015)와 「쌍둥이[雙生兒] 사주 이론의 분석 및 간명(看命)에 관한 연구」(문화와융합 제43권 12호(통권88집), 이홍신, 2021), 「쌍둥이[雙生兒] 사주의 명리학적 간명(看命)에 관한 연구」(이홍신, 동방문화대학원대학교 박사학위논문, 2023), 등 세 편의 논문이 있을 뿐이다. 이에 논자는 쌍둥이 사주에 관한 연구의 필요성을 더욱 인식하고, 비록 한정된 자료들이지만 이 자료들을 최대한 활용하여 일란성 쌍둥이 사주에 관한 연구를 진행하고자 한다.

2. 선행 연구 검토

본 연구와 관련한 선행연구는 첫째 연구 단행본 『정선명리학강론』(김만태, 동방문화대학원대학교, 2020)에서 쌍둥이 사주의 간명법에 관한 이론 및 사례들을 별도의 장으로 구성하여 체계적으로 설명하고 있다. 둘째 연구논문 「쌍둥이 사주 간명에 관한 연구」(홍득기, 대구한의대학교 석사학위논문, 2015)에서 쌍둥이의 특성과 일란성 쌍둥이에 대한 정의에 관해 다양한 논문들을 인용하고 있다. 따라서 논자는 단행본 『정선명리학강론』의 내용을 먼저 검토해본 후 연구논문 「쌍둥이 사주 간명에 관한 연구」(홍득기, 대구한의대학교 석사학위논문, 2015)를 차례로 살펴보고자 한다.

첫째, 연구 단행본 『정선명리학강론』에서는 「쌍둥이[雙生兒]에 대하여: 쌍생아·동일사주 간명법」이라는 소제목으로 쌍둥이 사주의 이론적 배경과 박재완의 환혼동각론(1990.4.29.일자, 한국경제신문, 대담자료) 그리고 쌍생아 간명법및 사례들을 제시하여 설명하고 있다. 다음은 『정선명리학강론』에서 제시하고있는 쌍둥이 사주의 이론적 배경 및 박재완의 환혼동각론, 쌍생아 간명법 등을원문 그대로 인용하고자 한다.

"허균은 자신의 사주가 해안(海眼)이란 중의 사주와 같음을 알고서 두 사람이 살아온 인생역정을 비교해보니, 그 영화와 고생, 빈궁과 영달이 서로 달랐다. 그 래서 평소에도 사주와 운명을 믿지 않았지만 앞으로 더욱 그래야겠다고 생각했 다."[2] 그러면서도 한편 허균은 "술가(術家)의 사주풀이대로 자신이 살아오고 있음 을 깨닫고서는 마침내 사주명리를 기이하다"라고 여기게 되었다.[3]

사주명리에 대한 허균의 이런 인식이 언뜻 모순되게 비추어질지는 모르지만 대부분 현대 사람들이 자신의 사주와 운명을 대면하는 이중행태적·양가감정적인 모습과 유사하다.

---

2) 許筠, 『惺所覆瓿藁』 권5, 「文部」 2 <送釋海眼還山序>,
3) 김만태, 『정선명리학강론』, 2020: 390~393쪽

같은 사주이면서도 운명이 같지 않은 것에 대해서 명대(明代) 초 유백온이 지은 『적천수(滴天髓)』의 원주(原注)에서는 "생시(生時)의 선후(先後), 산천(山川)과 세덕(世德)⁴⁾의 차이 등을 같이 궁리해야 한다"라고 하였다. 즉, "같은 연월일에 태어난 사람이라도 각기 다르게 응하는 것은 마땅히 생시의 선후를 궁구해야 하고, 또 산천과 세덕의 차이를 논해야 한다. 그러면 열이면 아홉은 징험한다. 그중에 징험하지 않는 경우는 단지 이쪽에는 관직이 있는데 저쪽에는 자식이 많고, 이쪽에는 재물이 많은데 저쪽에는 처가 아름다운 것에 불과한 작은 차이뿐이다.⁵⁾ 산천의 차이라 하는 것은 단지 동서남북만이 다른 것이 아니므로 마땅히 분별하여야 한다. 곧 한 고을의 한 집안이라도 풍성기습(風聲氣習)이 모두 같을 수 없는 것이다. 세덕의 차이라 하는 것은 단지 부귀빈천(富貴貧賤)만이 다른 것이 절대 아니므로 마땅히 분별하여야 한다. 곧 같은 집안, 같은 집이라도 선악사정(善惡邪正)이 모두 같을 수 없는 것이다. 그러므로 학자가 이를 살피면 그 성함과 쇠함을 알 수 있다."⁶⁾라고 하였다.

　　원수산은 『명리탐원』(1915)에서 서계영(舒繼英)의 『건원비지(乾元秘旨)』 내용을 인용하며 한 모친에게서 동시에 태어난 쌍생(雙生)의 간명에 관해 언술하길, "쌍둥이 명의 구별은 명주(命主, 일간)가 태왕하면 작은애가 뛰어나고, 명주가 태약하면 큰애가 뛰어나고, 명주가 왕하지도 약하지도 않으면 큰애와 작은애가 대략 같다.⁷⁾ 라고 하였다.

---

4) 가문에서 여러 대에 걸쳐 쌓아온 덕
5) 남성 사주 명조인 건명(乾命)에서는 관성(官星)이 벼슬과 자식을 같이 의미하고, 재성(財星)은 재물과 여자를 같이 의미한다.
6) 劉伯溫 저, 任鐵樵 증주, 袁樹珊 찬집, 『滴天髓闡微』(臺北: 武陵出版有限公司, 1997), 133~134쪽, "至同年月日而百人各一應者, 當究其時之先後, 又論山川之異, 世德之殊, 十有九驗, 其有不驗者, 不過此則有官, 彼則子多, 此則多財, 彼則妻美, 爲小異耳, 夫山川之異, 不惟東西南北, 迥乎不同者, 宜辯之. 卽一邑一家, 而風聲氣習, 不能一律也, 世德之殊, 不惟富貴貧賤, 絶乎不侔者, 宜辨之, 卽同門共戶, 而善惡邪正, 不能盡齊也, 學者察此, 可以知其興替矣."
7) 袁樹珊, 『命理探原』(臺北: 武陵出版有限公司, 1996), 303쪽, "錢塘舒繼英乾元秘旨云, 雙生之別, 命主太旺, 幼者勝, 命主太弱, 長者勝, 命主不旺不弱, 長幼略同."

명대 만민영은 『삼명통회』에서 쌍둥이의 간명에 관해 여러 문헌 자료를 인용하면서 조금 더 자세하게 언술하였다. 모친(母親)이나 아이의 사주에 인신사해(寅申巳亥)의 생지가 많으면 쌍둥이가 많은데, 그중에서도 특히 해(亥)가 많으면 남자 쌍둥이를 낳고, 사(巳)가 많으면 여자 쌍둥이를 낳으며, 일주(日主)의 강약, 생,일,시의 음양, 생시의 전후 등으로써 살피면 쌍둥이인 형과 아우의 빈부귀천과 요수(夭壽)의 차이를 알 수 있다고 하였다.

"女命에서 寅申巳亥가 많으면 쌍둥이를 주로 낳는데, 그중에서도 특히 亥가 많으면 남자 쌍둥이를 낳고, 巳가 많으면 여자 쌍둥이를 낳는다."[8]

"우연히 동시에 한 엄마에게서 태어나면 어떻게 그 귀천과 영고(榮枯)를 구별해야 합니까?"하고 물으니, 대답하기를 "무릇 1시에는 8각 12분이 있어서(그 시각의) 심천(深淺)과 전후(前後)가 있으므로 길흉이 똑같지는 않다. 동시에 한 엄마에게서 태어나면 반드시 그 시각의 심천(深淺)과 일시(日時)의 음양을 분별해야 한다. 만약 양(陽) 일시면 형이 뛰어나고 음(陰) 일시면 아우가 뛰어나다. 시각이 얕으면 선시(先時)의 기운을 차지하고, 깊으면 후시(後時)의 기운을 차지한다."라고 했다. 옛 시가에서 이르길 "쌍생을 보는 법은 기문(奇門)에도 있다. 그 영고를 증험하고자 한다면 일진(日辰)을 봐야 한다. 음일(陰日)이면 아우가 강하고 형은 반드시 약하다. 양시(陽時)면 형이 귀하고 아우는 반드시 가난하다."라고 한다. 이구만(李九萬)이 말하길 "소아(小兒)의 명에 四生(寅申巳亥)이 많으면 주로 쌍둥이다."라고 한다. 『신백경(神白經)』에서 말하길 "양명(陽命)이면 아우가 죽고, 음명(陰命)이면 형이 죽는데, 남녀로써 논하지는 않는다. 또 일설에 같은 시라도 방향을 구분해야 한다. 만약 목명(木命)이 동방을 향하면 생기를 받고, 서방을 향하면 극기를 받는데, 귀천(貴賤)과 수요(壽夭)가 이렇게 구별된다. 내가 들으니 삼하의 왕씨 형제가 쌍둥이인데 아우가 먼저 급제하고 형은 나중에 급제했으며, 공명(功名)과 수요(壽夭)가 대략 비슷했으나 끝내 형이 아우만 못했다. 영주의 이씨 형제도 한 시(一時) 차이로 쌍둥이다. 그래서 아우는 우수하게 급제를 했으나 형은 단지 선비에만 그쳤다. 그들 팔자의 일시를 살펴보니 과연 앞의 설들과 같았다."라고 한

---

8) 萬民英, 『三命通會』 7 論女命, "凡女命, 帶寅申巳亥多者, 主雙生. 亥字多者, 雙生男, 巳字多字, 雙生女."

다.9)

다음은 박재완의 환혼동각론(1990년 4월 29일자, 한국경제신문)의 대담자료를 소개하고 있는데 원문을 그대로 인용한다.

"사람의 길흉화복은 생년월일시에 따라서 결정되나 환혼동각(幻魂動覺)의 4가지 요인도 함께 작용한다. (사주 + 환혼동각 ⇒ 길흉화복 결정) 그러므로 사주 이외에 환혼동각도 고려하여야 한다."

"환(幻, 변할 환)은 한날한시에 태어났더라도 짐승이냐? 사람이냐에 따라서 길흉은 사람한테만 해당한다. 사람으로 태어났다는 것이 철학의 주체가 된다."

"혼(魂, 넋 혼)은 조상에 관한 것이다. 어떤 사람이든지 그 전신은 아버지이고, 그 앞의 전신은 할아버지로서 쭈욱 이어진다. 그래서 그 조상이 좋은 일을 했으면 그 자손이 복을 받게 되고, 그 조상이 고약한 일만 많이 했다면 그 후손이 잘되기를 바랄 수 없다."

"동(動, 움직일 동)은 국가가 있은 연후에 백성이 있다는 말이다. 어떤 세상에 태어나느냐가 중요하다."

"각(覺, 깨달을 각)은 본인의 깨달음을 말한다. 본인이 어떻게 행동하느냐가 중요하다. 그러므로 똑같은 사주를 타고나더라도 각자의 운명이 달라지는 것은 환혼동각이 다르기 때문이다. 환혼동각이 좋으면 타고난 사주가 좀 부족하더라도 씻어 줄 것이고 환혼동각이 나쁘면 사주가 좀 좋더라도 복을 받는 것이 줄어든다."

단행본인 『정선명리학강론』에서는 쌍둥이(雙生兒) 간명법에 관하여 고전의

---

9) 萬民英, 『三命通會』 7 「論小兒」, "或問, 偶然同産 一母所生, 何以別貴賤榮枯, 答曰 凡一時有八刻十二分, 故有淺深前後吉凶不同, 其有同時一母所生, 須分淺深, 及日時之陰陽, 如陽日時兄勝, 陰日時弟勝, 淺則占先時之氣, 深則占後時之氣, 古歌云, 雙生之法有奇門, 欲驗榮枯視日辰, 陰日弟强兄必弱, 陽時兄貴弟須貧, 李九萬云, 凡小兒帶四生, 多主雙生, 神白經云, 陽命後生者死, 陰命先生者死, 不以男女論, 又一設, 一時分方向, 如木命向東方者受生氣, 向西方者受剋氣, 貴賤壽夭, 以是別之, 余聞三河王氏兄弟雙生, 弟先中, 兄後中, 功命壽夭, 大率相似, 而兄竟不如弟, 潁州李氏兄弟雙生, 因差一時, 故弟登."

방법과 현대방법을 소개하면서 인위적으로 사주를 변경하는 대합법의 모순에 관해서 설명하고 있는데, 쌍둥이 사주의 간명법 5개의 내용을 모두 그대로 인용한다.[10]

① 사주팔자의 합으로 보는 간명법은 태어난 고유의 사주팔자를 변경하는 것이므로 사주명리의 이치상 올바르지 않다.

② 형·언니는 본래의 태어난 시로 보고, 동생은 다음의 시로 보는 간명법도 참고할 만하다 - 기문둔갑(예: 형, 언니가 본래 壬子시라면 동생은 癸丑시로 간명)"

③ 신약하면 형·언니를 좀 더 좋게 해석하고, 신강하면 동생을 좀 더 좋게 해석한다. - 고전 방법

④ 형·언니는 시간(時干)을 위주로 보고, 동생은 시지(時支)를 위주로 본다. - 현대방법

⑤ 시지의 지장간에서 동생은 초기, 형·언니는 본기를 위주로 본다. - 박재완 선생.

둘째, 선행연구논문 「쌍둥이 사주 간명에 관한 연구」(홍득기, 대구한의대학교 석사학위논문, 2015)에서 쌍둥이의 개념과 특성 그리고 일란성 쌍둥이에 대한 정의에 대해 다수의 논문을 인용하여 논술하고 있다.

쌍둥이의 사주를 해석하기 위해서는 쌍둥이에 대한 정확한 개념과 특성을 먼저 알아야 할 필요성이 있다고 생각한다. 따라서 선행 논문에서 인용한 쌍둥이에 관련된 자료들을 재인용 하고자 한다.[11]

일반적으로 쌍둥이의 개념 및 특성을 알아보는 데 있어서 쌍둥이의 종류 네 가지를 구분하는 방법과 그 출산율 및 특징으로 나누어 알아보도록 하겠다. 쌍둥이는 일반적으로 난성(卵性) 진단[12]의 방법을 통해서 일란성 쌍둥이, 이란

---

10) 김만태, 『정선명리학강론』, 2020: 393쪽.

11) 홍득기, 「쌍둥이 사주 간명에 관한 연구」, 2015: 6~9쪽.

12) 卵性진단 또는 卵生진단이란 태아가 일란성인지 이란성인지를 확인하는 진단법을 말한다. 난성진단에는 지필검사(설문지), 혈액형검사(ABO, RH 등), 인체측정검사(키, 몸무게 등) 초음파 진단검사, DNA검사법(혈액이나 구강의 상피세포로 DNA를 분석하여

성 쌍둥이, 샴쌍둥이, 그리고 다란성 쌍둥이 등 모두 네 가지의 종류로 구분하고 있다.[13]

　첫째 일란성(一卵性) 쌍둥이(identical twins)는 모체 내에서 한 개의 난자와 한 개의 정자가 수정하여 생긴 수정란(受精卵)이 일정 시간 후에 두 개의 수정란으로 서로 분리 착상되어 자라나 같이 태어나는 것을 말한다. 즉 100% 같은 유전자를 공유하고 성별, 혈액형, 얼굴, 성격, 흥미, 지능 등 모든 면에서 서로 닮은 경향이 있으며 신체적·심리적으로도 더 가까운 관계를 유지하고 있다. 그리고 실제 쌍둥이 중에서 일란성 쌍둥이가 차지하는 비율은 1/3 정도이고, 현재까지 무엇이 수정란을 두 개로 나누는지는 알려지지 않고 있다. 일란성 쌍둥이는 하나였던 수정란이 두 개로 갈라져 생겨나기에 분열 시기가 매우 중요하다. 수정란은 수정 직후부터 약 15일 동안 분리 가능성을 가진다.[14] 일란성 쌍둥이의 형성되는 과정과 특징을 알아보면 다음과 같다."[15]

　대다수 일란성 쌍둥이의 세포 분할은 수정 후 5-7일에 일어난다. 이러한 경우에 태반은 공유하나 양막은 각각 따로 갖는다. 일란성 쌍둥이의 약 2%는 수정 후 8일이 지난 뒤 분할 한다. 이 경우는 태반과 융모막 그리고 양막을 전부 공유한다. 하나의 양막 주머니 속에서 나란히 성장하는 이런 태아들의 경우 생존 가능성이 50%에 불과할 정도로 매우 위험하다. 일란성 쌍둥이의 약 25%는 거울형 쌍둥이로 외관상 비슷하나 정반대의 특성을 가진다. 예를 들면 머리 가마의 돌아가는 방향이 반대이거나 한 아이는 왼손잡이 이거나 다른 아이는 오른손잡이일 수 있다. 때로는 맹장 같은 내부 장기가 서로 반대쪽에 위치하기도 한다. 하나의 태반을 공유하는 일란성 쌍둥이(전체

검사하는 방법으로 가장 높은 정확도를 가진다.)과 多元類似진단법(개체의 차이가 큰 특성인 혈액형이나 타액의 분비형 등이 일치하는지의 여부를 조사하고, 또 코, 입, 눈, 귀, 눈썹, 등의 형태나 모 발의 질, 또는 지문 등의 유사점을 관찰해서 난성을 판단한다.) 등이 있다.

13) 홍득기, 「쌍둥이 사주 간명에 관한 연구」, 2015:6쪽.
14) 『네이버캐스터』「생물산책(두 배의 신비 쌍둥이)」(이은희)
15) 홍득기, 「쌍둥이 사주 간명에 관한 연구」, 2015:7쪽

일란성 쌍둥이의 66%)는 태반에서 공급하는 영향을 공평하게 섭취할 수 없는 경우가 많다. 한 명은 태반의 중앙에 위치해 영향을 공급받기가 유리할 수 있고, 반면에 다른 한 명은 한쪽 끝에 위치해 불리할 수 있다. 또 순환계가 서로 연결될 수도 있다. 주요 정맥과 동맥이 연결되면 생명을 위협하는 문제가 생길 위험성이 높다.[16]

둘째 이란성(二卵性) 쌍둥이(fraternal twins)는 "두 개의 정자(精子)에 의하여 수정(受精)하여 동시에 태아(胎兒)가 되어 발육한 쌍생아를 말한다.[17] 즉 모체 내에서 두 개의 난자와 두 개의 정자가 동일한 자궁 내에서 각각 따로 수정하여 생긴 수정란이 일정 시간 후에 쌍둥이로 태어난 경우를 말한다. 전체 쌍둥이의 2/3 정도를 차지하는 이란성 쌍둥이의 경우, 애초부터 두 개의 난자와 두 개의 정자로부터 출발하므로 융모막과 양막은 따로따로 만들어지며 엄마가 아니라 태아 스스로 형성하는 것이기 때문이다.[18]

셋째 샴쌍둥이(siamese twins) 또는 중복기형아(重複畸形兒) 또는 결합쌍생아(結合雙生兒)는 일란성 쌍태 가운데 태아가 되기 전의 수정란의 발육 과정에서 각 부분의 분화는 완성해 있으면서 완전한 두 개체가 되지 않고 부분적으로 한 사람인 두 태아가 유합(類合)한 것을 중복기형·샴쌍둥이라고 한다. 중복기형아는 원칙적으로 대칭 부위에서 유합한다. 가슴과 머리 또는 앞머리와 뒷머리 같은 유합은 존재하지 않는다.[19]

넷째 다란성(多卵性) 쌍둥이(multiple twins)는 모체 내에서 난자가 세 개 이상 생성되어 각각의 정자들과 수정이 되는 경우를 말하는데 자연발생적으로는 매우 희귀하다고 한다.[20]

---

16) 패트리셔 멜름스트롬·재닛 폴런드 공저/ 노순옥 옮김, 『쌍둥이 잘 기르기』(서울: 올림, 2011), 28∽29쪽

17) 이희성, 『국어대사전』(서울: 민중서림, 1997), 3012쪽

18) 『네이버캐스터』「생물산책」"두 배의 신비 쌍둥이"(이은희)

19) 『東亞原色世界大百科事典』(서울: 株式會社 東亞出版社, 1992), 335쪽

20) 최근 여성들의 출산 연령이 높아지고 나이가 들수록 임신에 어려움을 겪을 수 있기 때문에 불임 치료를 받을 가능성도 많아지고 있다. 배란유도제 사용이나 시험관 아

그리고 쌍둥이 출산율은 여러 원인에 의해 점차 증가하는 추세이다. 각박한 현대 사회의 개인주의와 어려운 경제 여건으로 인한 출산 기피가 인구감소로 나타나면서 사회가 점차 고령화해감에 따라 정부에서는 다양한 출산 장려정책을 시행하고 있으며, 시대의 흐름에 따라 점점 늦어지는 혼인으로 인해 임신과 출산 연령이 높아져 둘째와 셋째 아이 임신의 경우 쌍둥이의 임신 가능성 또한 더 높아지고 있다. 또 의료의 발달로 인한 불임 치료, 시험관 아기, 배란촉진제 등의 인위적인 방법으로 인하여 쌍둥이의 출산율이 높아가고 있는데 2002년도 쌍둥이 출생률을 알아보면 다음과 같다.

2002년 현재 우리나라의 쌍생아 출생률은 1,000명당 20명 정도라고 하니 이는 약 2%에 달하는 수치이다. 또한 인구감소에 대한 출산장려정책과 불임 치료와 시험관아기 시술의 증가추세로 본다면 그 숫자는 점차 증가할 것이라는 전망을 할 수 있다. 쌍생아 출생률이 2%라면 남한 인구 약 5천만 명 중에 1백만 명 정도의 숫자가 된다.(중략) 더욱이 시험관 아기 시술이 늘어나는 추세로 보아 앞으로는 훨씬 더 많은 쌍생아가 출생할 것으로 예상된다.[21] 2002년도에 우리나라 다태아 출생률이 인구 대비 약 2%인 100만여 명에서 2004년에 2.11%, 2005년에 2.19%, 2012년도에 3.23%로 약 160만여 명 정도로 계속 높아져 가고 있다.[22]

이상과 같이 본 연구와 관련하여 단행본 『정선명리학강론』(김만태, 동방문화대학원대학교, 2020)에서 쌍둥이 사주에 활용되고 있는 간명법에 관해 알아보았다. 그리고 박재환의 환혼동각(幻魂動覺)론에 관해서 살펴보았다. 또한 선행 연

이 시술, 인공수정 등의 과정에서 임신의 확률을 높이기 위해 다수의 난자를 생성하게 하는 까닭에 세 개 이상의 난자와 세 개 이상의 정자가 각각 수정되는 경우가 있다. 이 경우에 수정란의 수에 따라 세쌍둥이, 네쌍둥이 등으로 다란성 쌍둥이가 태어나고 있다. 이때 이란성 쌍둥이와 같이 동성일 수도 있고 동성, 이성으로 섞여서 태어날 수도 있다고 한다.

21) 禹義亮, 『格局用神論과 雙兒看命法』(서울: 퍼플, 2014) 131쪽

22) 2004년 2.11%, 2005년 2.19%, 2006년 2.42%, 2007년 2.74%, 2008년 2.75%, 2011년 2.94%, 2012년 3.23%.

구논문「쌍둥이 사주 간명에 관한 연구」(홍득기, 대구한의대학교 석사학위논문, 2015)에서 인용한 의학 관련 논문을 재인용 하여 쌍둥이의 특성과 종류 그리고 일란성 쌍둥이에 대한 개념에 관한 사항들을 살펴보았다.

일란성 쌍둥이는 하나의 수정란에 한 개의 정자가 결합하여 탄생하며 성별이 같다. 그러나 이란성 쌍둥이는 두 개의 수정란에 두 개의 정자가 결합하여 탄생하는 것으로써 성별이 서로 다른 경우가 많으나 성별이 같은 이란성 쌍둥이도 가능하다는 게 의학적 논리이다. 그리고 겹쌍둥이라고 하는 쌍둥이 용어도 있는데, 겹쌍둥이란 이미 태어난 쌍둥이 밑으로 또다시 태어난 쌍둥이를 말한다. 즉 한 사람의 어머니가 연속해서 두 차례 이상 쌍둥이를 낳은 경우를 겹쌍둥이라고 한다. 결국 겹쌍둥이도 위에서 설명한 네 가지 쌍둥이의 종류 중 어느 하나에 속한다.

쌍둥이의 출생 원인으로는 유전적인 것과 나이, 출산 횟수 등 다양한 요인들이 제기되고 있으나 본 연구의 방향과 거리가 있으므로 논하지 않는다. 본 저서는 의학적인 개념을 떠나서 같은 부모로부터 같은 시간에 태어난 성별이 같은 일란성 쌍둥이의 사주를 연구하는 게 주된 목적이다. 따라서 유전적 요인이나 생물학적인 원인에 의한 쌍둥이 사주의 연구와는 전혀 무관함을 밝힌다. 즉, 순수하게 명리학적인 관점에서 일란성 쌍둥이를 어떻게 간명할 것인가에 대한 연구이다. 그리고 성별이 다르더라도 3명 이상의 다란성 쌍둥이의 사주를 해석할 수 있는 간명법에 관해서도 연구해 보고자 한다.

3. 연구 방법 및 범위

본 저서의 연구는 문헌적 방법과 실제 쌍둥이 사주의 사례를 해석하는 실증적 분석의 방법을 병행하여 연구하고자 한다. 먼저 문헌적 연구 방법으로는 명리원전에 나와 있는 쌍둥이 사주의 간명 이론에 관해서 분석해 보고자 한다. 그리고 명리원전에서 활용된 쌍둥이 사주의 간명법이 무엇인지 살펴보겠다. 또한 선행학문으로 단행본 『정선명리학강론』(김만태, 동방문화대학원대학교, 2020)과 논문 「쌍둥이 사주 간명에 관한 연구」(홍득기, 대구한의대학교 석사학위논문, 2015), 「쌍둥이[雙生兒] 사주 이론의 분석 및 간명(看命)에 관한 연구」(『문화와융합』 제43권 12호(통권88집), 이홍신, 2021), 「쌍둥이[雙生兒] 사주의 명리학적 간명(看命)에 관한 연구」(이홍신, 동방문화대학원대학교 박사학위논문, 2023), 등을 적극적으로 활용하여 현대의 쌍둥이 사주의 이론과 간명법에 대해서 정리하고자 한다. 그런데 쌍둥이 사주에 관한 선행연구가 거의 없는 실정이다. 따라서 본 저자는 제한적이지만 관련 문헌들을 통해 쌍둥이 사주의 연구를 진행하여 가장 효율적인 쌍둥이 사주의 간명법을 도출해 내고자 한다.

실증적 연구 방법으로는 먼저 재야의 명리학자들을 상대로 대면조사 및 전화 상담을 통해서 쌍둥이 사주에 어떤 간명법을 사용하는지 알아보고자 한다. 그리고 명리학자들이 주로 활용하는 쌍둥이 사주의 간명법을 실제 쌍둥이들에게 적용하여 실효성 여부를 판단해 보겠다. 쌍둥이의 사례는 33쌍을 표본으로 하여 명리학자들이 많이 활용하는 쌍둥이 사주의 다양한 간명법을 동원해서 분석해 보고자 한다.

쌍둥이 사주의 간명법에 관한 실효성 여부에 대해서는 저자의 주관성이 개입되지 않도록 객관적으로 확인된 쌍둥이의 정보만을 활용하였다. 그리고 문헌적 연구를 통해 얻은 객관적인 자료들을 최대한 연구에 활용하고자 한다. 이를 근거로 쌍둥이 사주의 다양한 간명법을 하나하나 분석한 후 가장 효율적인 쌍둥이 사주의 간명법을 도출해 내고자 한다. 즉 실증적 연구 방법은 명리학자들을 상대로 한 대면조사 방법과 실제 쌍둥이의 사주를 분석하는 사례분석의 방법을 병행하여 진행하고자 한다.

본 저서는 이론 편에서 제1장 서론, 제2장 명리원전에 근거한 쌍둥이 이론, 제3장현대명리의 쌍둥이 사주 간명이론, 등에 관해 기술하고, 실무 편에서 제4장 실증분석, 제5장 결론, 등 전체 5장의 형식으로 구성하고자 한다. 구체적인 내용은 다음과 같다.

제1장은 서론으로써 연구 배경과 목적, 선행연구 검토, 연구 방법 및 범위로 구성한다. 특히 선행연구 검토 부분에서는 쌍둥이의 종류와 일란성 쌍둥이와 이란성 쌍둥이의 차이를 알아보도록 하겠다. 그리고 쌍둥이와 관련된 다양한 논문을 재인용 하여 일란성 쌍둥이와 이란성 쌍둥이 그리고 샴쌍둥이와 다란성 쌍둥이의 개념과 특성 그리고 정의를 명확하게 정리하고자 한다.

제2장은 명리원전에 근거한 쌍둥이 이론으로 구성하였다. 따라서 명리원전에 나와 있는 쌍둥이에 관련된 이론을 모두 살펴보고, 원전에서 어떤 쌍둥이 간명법이 활용되었는지 그 근원을 확인해 보겠다. 명리원전은 『三命通會』, 『滴天髓闡微』, 『窮通寶鑑評註』, 『命理探原』, 등에 나와 있는 쌍둥이 관련 이론을 모두 원문으로 살펴보고자 한다. 그 외 『命理約言』, 『淵海子平』 등 다른 명리 원전에서는 쌍둥이 사주에 대해 언급을 하지 않고 있다.

제3장은 현대명리의 쌍둥이 사주 간명 이론으로 구성하고자 한다. 현대의 쌍둥이 간명 이론은 재야의 학자들이 많이 활용하고 있는 차시법(次時法), 대합법(對合法), 대운순역법(大運順逆法), 시주격국간명법(時柱格局看命法), 시주간명법(時柱看命法), 외에도 대충법(對沖法)을 비롯하여 다양한 이론들이 존재하고 있다. 그리고 '쌍둥이의 운명이 서로 다른 이유에 대해서 성명이 서로 다르기 때문이다.'라는 등 비과학적인 주장을 하는 일부 학자들도 있다. 따라서 연구의 한계가 있으므로 본 연구 범위를 시주간명법을 위주하여 모두 16개의 간명법으로 한정하고자 한다.

제4장은 실제 쌍둥이의 사례를 가지고 쌍둥이 사주의 간명법에 대한 실증분석을 하고자 한다. 실제 쌍둥이의 사주 33개를 제시하여 구체적인 사례를 분석해 보고, 전통적인 명리 원전의 이론과 현대의 쌍둥이 간명법을 비교하여 그 문제점과 논리성을 확인하고자 한다. 그리고 이를 근거로 쌍둥이 사주에 어떤 간명법을 사용하는 게 가장 효율성이 있는지 획일적인 결과를 도출해 내고자 한다.

제5장은 결론으로써 최종적인 연구 결과를 요약, 정리하고자 한다. 또한 향후 다란성 쌍둥이 등에 활용이 가능한 쌍둥이 간명법은 어떤 것이 있는지 구체적으로 살펴보고자 한다.

이와같이 본 연구는 명리 원전과 선행학문 등을 통한 문헌의 연구, 사주명리학자들을 상대로 한 면담 조사 그리고 실제 쌍둥이의 사례를 분석하여 효율성 여부를 판단하는 실증분석 등 여러 단계의 검증 절차를 거쳐서 객관성을 확보하고, 최종적으로 쌍둥이 사주에 가장 효율적인 간명법을 정립하겠다. 마지막으로 연구의 한계와 시사점을 정리한 후 본 저서를 마무리하고자 한다.

II. 명리원전에 근거한 쌍둥이 이론

1. 명리원전의 쌍둥이 이론

명리 원전에서 쌍둥이 사주 이론에 관하여 본격적으로 논하고 있는 학설은 거의 없다. 따라서 쌍둥이 사주의 간명법을 추정해 볼 수 있는 명리원전은 극히 제한적이다. 그래서 명리 원전만으로는 쌍둥이 사주의 간명법을 정립하기는 어렵다. 그렇다면 먼저 명리 원전에 나와 있는 쌍둥이 사주에 관련된 단편적인 이론들을 시대별 순서에 따라 모두 살펴보겠다.

쌍둥이에 관한 최초의 언급은 사주학의 시초라고 할 수 있는 옥조신응진경『玉照神應眞經』이다. 그 이후 명대(明代) 만민영(萬民英)이 편찬한 삼명통회『三命通會』의 <論女命> 편과 <論小兒> 편에서 쌍둥이에 관한 간명법을 간단히 소개하고 있다. 또한 자평진전『子平眞詮』, <論妻子> 편에도 쌍둥이라는 말이 언급되어있다. 그리고 임철초(任鐵樵)는 적천수천미『滴天髓闡微』, <生時> 편에서 동일사주를 설명하고 있으며 <出身> 편에서 두 개의 쌍둥이 사주의 예제를 유일하게 소개하고 있다.

서낙오(徐樂吾)의 궁통보감평주『窮通寶鑑評註』에는 거인(擧人)과 무재(茂才)의 관리직을 지낸 쌍둥이 형제의 예제가 하나 있을 뿐이다. 원수산(袁樹珊)의 명리탐원『命理探原』에는 쌍둥이 사주를 보는 법이 간단히 소개되어 있다.

먼저 쌍생이라는 말이 최초로 사용된 명리원전은 동진(東晉)의 곽박(郭璞)[1]이 저술하고, 서자평(徐子平)이 주석한 옥조신응진경『玉照神應眞經』이다. 다음은 그 원문의 내용을 그대로 인용하여 살펴보겠다.

> "(郭璞正文) 감리(坎離)인 子午, 丙壬이 거듭 보이면 여자 쌍둥이다.[2]
> (徐子平注) 子午는 음양이 길이니, 丙은 장남이고 壬은 장녀이다. 丙丁이 寅에

---

1) 郭璞(276-324), 사주학의 시초로 불리는 『玉照神應眞經』을 저술하였다.
2) 『玉照神應眞經』(郭璞正文), "坎離子午丙壬重見, 兒女雙生"

이르면, 火가 장생하는 지지로서 이중 삼중으로 보이면 주로 쌍생남이며, 壬癸가
申에 이르면, 水가 장생하는 지지로서 이중 삼중이면 주로 쌍생녀이다.[3]"

이와같이 『玉照神應眞經』에서 쌍둥이의 출생에 관한 기록을 확인할 수 있
다. 사주에서 음양(子午), 양음(丙壬)이 거듭 보이면 여자 쌍둥이의 사주라는
뜻으로 해석할 수 있다. 하지만 너무 간략하고 간단한 내용이므로 보는 사람
에 따라 달라질 수 있는 내용이다. 즉 사주에 음양(子午), 양음(丙壬)이 거듭 보
이면 여자 쌍둥이의 사주이고, 양(丙)은 장남이고, 음(壬)은 장녀라는 뜻으로
해석할 수 있겠다. 그리고 지지에 양(丙丁)이 생지를 이중 삼중으로 깔고 있으
면 쌍생남의 사주이고, 음(壬癸)이 지지에 이중 삼중으로 생지를 깔고 있으면
쌍생녀의 사주라는 의미로 해석할 수 있겠다.

『玉照神應眞經』은 최초로 쌍둥이에 대해 언급하였다는 점에서 의미가 크다.
그리고 그 당시 쌍둥이에 관해 관심을 가졌다는 추측도 가능하다. 어떤 사주
가 쌍둥이의 사주이고, 쌍둥이를 출생할 수 있는 요건은 어떤 것이 있는지 관
심을 가졌던 것으로 볼 수 있겠다. 그러나 쌍둥이 사주를 어떻게 해석해야 하
는지 그 방법에 관한 내용은 확인할 수 없다. 따라서 사주학이 시작되던 시기
에도 쌍둥이에 관한 연구가 있었다는 정도의 의미는 있으나 구체적인 쌍둥이
사주의 간명법이 소개되어 있지 않아서 본 연구의 진행 방향을 제시하지는 못
한다.

명대(明代) 만민영(萬民英)이 편찬한 삼명통회『三命通會』의 <論女命> 편과
<論小兒> 편에서 쌍둥이 사주에 대해 간단하게 설명하고 있다. 만민영(萬民
英)[4]의 『三命通會』[5] <論女命> 편에는 쌍둥이에 대해서 다음과 같이 기술하

---

3) 『玉照神應眞經』(徐子平注), "子午爲陰陽之路, 丙爲長男, 壬爲長女, 丙丁到寅, 火長生之
地, 見二三重者, 主雙生男, 壬癸到申, 水長生之地二三重者, 主雙生女也."
4) 萬民英(1523.01.04.-1566)은 중국 명나라 때의 학자로 호를 育吾라 하고 명리학의 모든
이론을 총망라한 백과사전이라고 할 수 있는 『三命通會』 12권(1578)을 저술하였다.
5) 『三命通會』는 중국 명나라 때 학자인 萬民英이 지은 12권으로 된 책(1578년 발표)으
로 고법사주인 삼명학과 신법사주인 자평명리학, 서양점성학인 오성학 등 命理學의
여러 가지 理論과 명식구성 및 판독방법을 종합 망라하여 집대성한 命理百科事典이

고 있다.

　"寅申巳亥가 많은 사람은 쌍둥이를 낳는 기운을 가지고 있다. 亥 자가 많으면
남자 쌍둥이, 巳 자가 많으면 여자 쌍둥이를 낳는다."[6]

이와 같이 만민영(萬民英)은 『三命通會』 <論女命> 편에서 사주의 지지에
寅申巳亥 글자가 많은 여자는 쌍둥이를 낳는 기운을 가지고 있는데, 亥자가
많으면 남자 쌍둥이를 낳고, 巳자가 많으면 여자 쌍둥이를 낳는다고 하였다.
그러니까 명리학적 관점에서 여자가 쌍둥이를 낳을 수 있는 조건을 제시하고
있는데, 그것은 사주의 지지에 寅申巳亥의 글자가 있어야 가능하다는 의미로
해석할 수 있다.
　그리고 <論小兒> 편에서는 구체적으로 쌍둥이의 간명법에 관해서 기술하
고 있다. 결국 쌍둥이 사주에 관한 간명법에 관해서는 <論小兒> 편에서 기술
하고 있는 원문을 어떻게 해석하느냐에 따라서 명암(明暗)이 갈린다고 생각한
다. 다음은 <論小兒> 편의 원문을 한 문장씩 구절별로 분류해서 차례대로 분
석해 보고자 한다.

　"우연히 동시에 한 어머니에게서 태어나면 어떻게 귀천과 영고(榮枯)를 구별합
니까?"[7]

이 예문은 "혹 묻기를 우연히 한 어머니에게서 같이 태어나면 그 소생은 어떻게 귀
천과 영고를 구분할 것인가?"라는 의미의 질문으로서 쌍둥이가 태어나면 그들의 삶
이 다른 이유와 누가 더 귀하고, 천하며 장수를 누릴 것인가를 추정해 볼 수 있다.

　"대답하길, "무릇 1시에는 8각 12분이 있어서 그 심천(深淺)과 전후(前後)
가 있으므로 길흉이 똑같지는 않다."[8]

라는 평가를 받고 있는 귀중한 命理 古書이다.

6) 萬民英, 『三命通會』(臺北: 武陵出版有限公司, 2011), 517쪽, <論女命>, "帶寅申巳亥多
　者, 主雙生. 亥字多者, 雙生男, 巳字多字, 雙生女."
7) 『三命通會』, 531쪽, <論小兒>, "或問, 偶然同産 一母所生. 何以別貴賤榮枯,"

위 예문에서 1시는 사주 명조에 구성하는 시간으로서 120분을 뜻하고, 8刻은 120분(2시간)을 나눈 시간이므로 1각이 15분에 해당한다. 그리고 분(分)은 1刻 15분 중에서 차지하는 비율을 말한다. 즉 사주학 상으로는 같은 시간에 태어났다고 하더라도 1時가 8刻, 12분으로 나누어지므로 쌍둥이가 태어나는 시간이 각각 다르다는 의미이다.

그리고 심천(深淺)과 전후(前後)가 있으므로 길흉이 똑같지 않다는 의미는 태어나는 순서와 시간의 깊이를 뜻한다. 즉 쌍둥이의 삶이 다른 이유는 서로 태어나는 시간에 차이가 있고, 먼저 태어나고 나중에 태어나는 순서가 있어서 길흉이 똑같지 않다는 의미이다.

결국 쌍둥이의 삶이 다른 이유를 시간에서 찾아야 한다는 뜻이다. 이 말을 다시 바꾸어 말하면 시간을 뜻하는 時柱에서 쌍둥이의 삶이 다른 이유를 찾아야 한다는 뜻으로 바꿀 수 있다. 그리고 심천(深淺)이란? 깊음과 얕음을 뜻하는 의미로 해석할 수 있다. 그렇다면 時柱에서 깊이를 찾는다면 그것은 지장간이라고 할 수 있다. 즉 지장간의 여기, 중기, 정기 순으로 깊어진다. 그래서 먼저 태어나는 형(언니)는 여기로 보고, 나중에 태어나는 동생을 중기나 정기로 봐야 한다는 논리로 해석할 수 있다.

"그것은 동시에 한 어머니에게서 태어나면 반드시 그 시각의 심천과 日時의 음양을 분별해야 한다."[9]

이 예문의 의미는 쌍둥이가 태어나면 반드시 태어난 시간의 깊이와 음양을 나누어야 한다는 뜻이다. 즉 형(언니)과 동생을 분별하고, 태어난 날이 陽日인지, 陰日인지, 그리고 태어난 시간이 陽時인지, 陰時인지, 분별해야 한다는 뜻이다.

---

8) 『三命通會』, 531쪽, <論小兒>, "答曰 凡一時有八刻十二分,"

9) 『三命通會』, 531쪽, <論小兒>, "故有淺深前後吉凶不同, 其有同時一母所生, 須分淺深, 及日時之陰陽,"

"만약 陽 일시면 형이 뛰어나고 陰 일시면 아우가 뛰어나다. 시각이 얕으면 先時의 기운을 차지하고, 깊으면 後時의 기운을 차지한다."10)

"만약 陽 일시면 형이 뛰어나고 陰 일시면 아우가 뛰어나다."라는 의미는 陽日이나 陽時에 태어나면 형이 영특하다는 의미로 생각되고, 陰日이나 陰時에 태어나면 동생이 영특하다는 뜻이다.

"시각이 얕으면 先時의 기운을 차지하고, 깊으면 後時의 기운을 차지한다."라는 의미는 時支의 지장간에서 깊이가 얕으면 先時의 기운 즉 빨리 태어난 형을 의미하고, 깊으면 後時의 기운 즉 늦게 태어난 동생을 의미하는 것으로 해석할 수 있다.

"옛 시가에서 이르길, "쌍생을 보는 법은 기문(奇門)에도 있다. 그 영고를 증험하고자 한다면 日辰을 봐야 한다. 陰日이면 아우가 강하고 형은 반드시 약하다. 陽時면 형이 귀하고 아우는 반드시 가난하다."11)

이 예문의 의미는 기문(奇門)에도 쌍둥이를 보는 법이 나와 있는데 쌍둥이 중에서 누가 크게 성장하고, 누가 쇠퇴하게 되는가를 알고자 한다면 日辰 즉 日柱를 봐야 한다는 뜻이다.

그리고 陰日이면 아우가 강하고 형은 반드시 약하다. 陽時면 형이 귀하고 아우는 반드시 가난하다. 라는 의미는 日柱가 陰日에 태어난 쌍둥이는 형보다 아우가 영특하여 잘 된다는 뜻이고, 陽時에 태어난 쌍둥이는 형이 동생보다 귀하게 된다는 뜻으로 해석할 수 있다.

"이구만(李九萬)이 말하길, "小兒의 명에 四生(寅申巳亥)이 많으면 주로 쌍둥이다."라고 한다."12)

---

10) 『三命通會』, 531쪽, <論小兒>, "如陽日時兄勝, 陰日時第勝, 淺則占先時之氣, 深則占後時之氣."

11) 『三命通會』, 531쪽, <論小兒>, "古歌云, 雙生之法有奇門, 欲驗榮枯視日辰, 陰日弟强兄必弱, 陽時兄貴弟須貧."

이 예문은 쌍둥이를 낳는 여자의 사주에는 四生 즉 寅申巳亥가 많다는 의미로 해석할 수 있다. 『三命通會』 <論女命> 편에서도 寅申巳亥가 많은 여자가 쌍둥이를 낳는다. 라고 하여 같은 의미로 논하고 있는 사실을 확인할 수 있다.

"『신백경(神白經)』에서 말하길, 陽命이면 아우가 죽고, 陰命이면 형이 죽는데, 남녀로써 논하지 않는다. 또 일설에 같은 시라도 방향을 구분해야 한다. 만약 木命이 동방을 향하면 생기를 받고, 서방을 향하면 극기를 받는데, 귀천과 壽夭가 이렇게 구별된다."[13]

"陽命이면 아우가 죽고, 陰命이면 형이 죽는데 남녀로써 논하지 않는다."라는 의미는 陽日에 태어나면 형이 강하고 동생은 약하다. 라는 뜻으로 형이 번성하고, 동생은 쇠퇴한다는 의미의 표현이라고 생각한다. 그리고 陰日에 태어난 쌍둥이는 반대로 동생이 번성하고 형이 쇠퇴한다는 뜻이다.

또한 "같은 時라도 방향을 구분해야 한다. 만약 木命이 동방을 향하면 생기를 받고 서방을 향하면 극기를 받는데 귀천과 수요가 이렇게 구별된다."라는 의미는 공간의 중요성을 강조하고 있는 듯하다. 즉 같은 시간에 태어났더라도 木의 기운을 가지고 태어났다면 동쪽에서 기운을 얻는 것이고, 반대로 서쪽에서 극을 받게 된다는 뜻이다.

그리고 "귀천과 수명이 이렇게 구별된다."라는 의미는 쌍둥이의 귀천과 생명의 수명은 태어난 시간이 어떤 기운이냐에 따라서 다르고, 또한 어느 공간에서 사느냐에 따라 달라진다는 의미로 해석할 수 있다.

"내가 들으니, 삼하의 왕씨 형제가 쌍둥이인데 아우가 먼저 급제하고 형은 나중에 급제했으며 功名과 壽夭가 대략 비슷했으나 끝내 형이 아우만 못했다. 영주의 이씨 형제도 한시(一時) 차이로 쌍둥이이다. 그래서 아우는 우수하게 급제했으

---

12) 『三命通會』, 531쪽, <論小兒>, "李九萬云, 凡小兒帶四生, 多主雙生."
13) 『三命通會』, 531쪽, <論小兒>, "神白經云, 陽命後生者死, 陰命先生者死, 不以男女論, 又一設, 一時分方向, 如木命向東方者受生氣, 向西方者受剋氣, 貴賤壽夭, 以是別之."

나 형은 단지 선비에만 그쳤다. 그들 팔자의 일시를 살펴보니 과연 앞의 설들과
같았다."14)

이 예문은 쌍둥이 형제의 공명과 수명이 서로 다르다는 것을 왕씨 형제와
이씨 형제의 사례를 가지고 논하고 있다. 그리고 앞에서 주장한 이론들의 논
리성을 주장하고 있다. 즉 陽命이면 아우가 죽고, 陰命이면 형이 죽는데 남녀
로써 논하지 않는다. 또는 같은 時라도 방향을 구분해야 한다. 만약 木命이 동
방을 향하면 생기를 받고 서방을 향하면 극기를 받는데 귀천과 수요가 이렇게
구별된다. 라는 설과 같았다는 뜻을 표현한 것으로 보인다.

이와같이 만민영(萬民英)은 『三命通會』의 <論小兒>편에서 쌍둥이 사주에
대한 간명을 일간의 음양으로 보아 형이 양일생인, 양간이면 잘 살고, 동생이
음일생으로 음간이면 잘 산다는 정도로 간단하게 설명하고 있다. 즉 쌍둥이의
우열과 부귀빈천에 대해서 논하고 있을 뿐 구체적인 간명법에 대한 설명이 부
족하다.

심효첨(澤燔)15)이 편찬한 『子平眞詮』, <論妻子> 편에도 쌍둥이라는 말을
언급하고 있다. 다음은 그 원문을 인용하여 살펴보겠다.

"자식에 이르면. 그것은 궁위로 살피고 더불어 자식별이 투간된 희기를 보는데
이치는 처를 논하는 것과 대략 같다. 다만 자식을 볼 때는 장생목욕의 노래도 마
땅히 숙독해야 한다. 예컨대 장생이면 자식이 넷인데 중순 이후이면 절반이고,
목욕이면 한 쌍둥이로서 길상을 보존하며, 관대와 임관이면 3명의 자식 자리이
고, 제왕이면 5명의 자식이 저절로 실현되며, 衰이면 자식이 2명, 病이면 자식이
1명, 死이면 늙을 때까지 아이가 없으니 오직 남의 자식을 양육하여 취하고, 墓이
면 자식이 일찍 죽으며, 수기(受氣)는 절(絶)이 되는데 자식이 1명이고, 胎이면 첫
째로 딸을 양육하며, 養이면 세 명의 자식 중 하나만 남으니, 남녀의 자리중 자식

---

14) 『三命通會』, 531쪽, <論小兒>, "余聞三河王氏兄弟雙生, 弟先中, 兄後中, 功命壽夭, 大
率相似, 而兄竟不如弟, 穎州李氏兄弟雙生, 因差一時, 故弟登."

15) 沈孝瞻(1696-1757), 본명 澤燔, 子平手錄 三十九篇을 저술하였다. 이를 청나라(1776) 때
胡空甫가 책으로 편찬하면서 子平眞詮이라고 이름을 붙였다.

을 자세히 보아야 한다는 것이다."16)

이와같이『子平眞詮』, <論妻子> 편에는 자식의 궁위와 투간된 자식별의 관계를 논하고 있다. 자식을 볼 때는 12운성의 장생목욕(長生沐浴)의 관계도 마땅히 숙독해야 한다는 논리이다. 그리고 "장생이면 자식이 넷인데 중순 이후이면 절반이고, 목욕이면 한 쌍둥이로서 길상을 보존한다."라는 구절이 나온다. 여기에 나오는 "목욕이면 한 쌍둥이로서 길상을 보존한다."라는 의미를 어떤 의미로 해석해야 할지 모르겠으나 쌍둥이와 12운성의 관계의 중요성을 논하고 있다는 사실을 확인할 수는 있다.

그리고 쌍둥이로서 길하고 흉할 수 있는 요건을 설명하는 것으로 추정한다. 그러나 구체적으로 논하지 않았기 때문에 어떤 때에 길하고 어떤 때에 흉하게 되는지 알 수는 없다. 그뿐만 아니라『子平眞詮』에는 이 부분 외에 쌍둥이와 관련된 또 다른 언급은 없다. 따라서 12운성론과 쌍둥이의 명(命)에 관련된 길과 흉의 관계는 서로 어떠한 인과관계가 성립할 수 있다는 정도로 추정할 수 있을 뿐이다.

현대 명리학의 근간(根幹)이자, 미래를 예측하는 운명의 지침서라고 할 수 있는『子平眞詮』에서도 쌍둥이 사주와 관련된 구체적인 간명법에 관해서는 논하지 않고 있음을 알 수 있다. 이러한 점을 참작하여 볼 때 그 당시에는 쌍둥이의 출생률이 지극히 낮았거나 크게 출세한 쌍둥이가 없었다고 추정해 볼 수도 있다. 그만큼 쌍둥이에 관한 관심이 적었다는 것을 알 수 있다.

다음은 임철초(任鐵樵)17)의『滴天髓闡微』18) <生時> 편에 나와 있는 "子時

---

16) 『子平眞詮評註』(台北: 進源書局, 2006), <論妻子>, "至於子息, 其看宮分與看子星所透喜忌, 理與論妻略同, 但看子息, 長生沐浴之歌, 亦當熟讀, 如長生四子中旬半, 沐浴一雙保吉祥, 冠帶臨官三子位, 旺中五子自成行, 衰中二子, 病中一, 死中至老沒兒郎, 除非養取他之子, 入墓之時命夭亡, 受氣爲絶一個子, 胎中頭産養姑娘, 養中三子只留一, 男女宮中子細詳是也."

17) 任鐵樵(1763-1847)는 중국 청나라 초기의 인물로서『滴天髓』를 增註하여『滴天髓闡微』를 저술하였고 독창적인 학설인 4從格(4從格 : 從旺格, 從强格, 從氣格, 從勢格)을 창안하였다.

에 태어난 사람은 3각 3분[19] 이전이면 壬水가 용사한다."라고 하여 같은 子時일지라도 시간의 차이가 있음을 논하고 있고, "같은 연월일에 태어나도 산천의 다름과 조상 덕의 차이가 있어 각기 자기의 운명을 타고난다"라는 언급과 『滴天髓闡微』 <出身>편에서 두 개의 쌍둥이 명조를 예제로 소개하고 있는데 이를 차례대로 살펴보겠다.

"子時에 태어난 사람은 3각 3분 이전이면 壬水가 용사하고, 4각 7분이후이면 癸水가 용사하는데, 寅월에 태어난 사람은 戊土가 용사하면 어떤지, 丙火가 용사하면 어떤지, 甲木이 용사하면 어떤지를 평하고, 원국 중에서 쓰는 신이 壬水가 용사하면 어떤지, 癸水가 용사하면 어떤지 그 심천, 예컨대 분묘의 정해진 방향과 도로를 궁구하면 곧 사람의 화복을 판단할 수 있다."[20]

이 예문은『三命通會』의 "무릇 1시에는 8각 12분이 있어서 (그 시각의) 심천 (深淺)과 전후(前後)가 있으므로 길흉이 똑같지 않다."라는 시간의 개념과 일치한다. 즉 1時는 8刻 120분(2시간)으로 구성된다. 따라서 1刻은 15분이고, 分은 1刻 15분 중에서 차지하는 비율을 말한다. 따라서 3刻 3分이면(15×3) + 15×30% = 49.5분이고, 4刻 7분이면 (15×4) + 15×70% = 70.5분이 되므로 둘을 합치면 1時에 해당하는 8刻 120(2시간)이 된다.라는 의미를 뜻한다.

따라서 쌍둥이가 같은 子時에 태어난다고 하더라도 子時안에는 8각 12분이

---

18) 중국 청나라 때의 任鐵樵(1763-1847)가 『滴天髓』에서 『滴天髓闡微』를 增註하였는데 전통적인 명나라의 中和論과 格局에서는 팔정격(식신격, 상관격, 편재격, 정재격, 편관격, 정관격, 편인격과 정인격)을 강조하였고, 특히 4종격을 창안하였으며 强衆敵寡의 취용법을 제시하면서 十干의 생사는 陰陽同生同死設을 주장하였다.

19) 1時는 8刻 120분(2시간)으로 구성된다. 따라서 1刻은 15분이고, 分은 1刻 15분 중에서 차지하는 비율을 말한다. 따라서 3刻 3分이면(15×3) + 15×30% = 49.5분이고, 4刻 7분이면 (15×4) + 15×70% = 70.5분이 되므로 둘을 합치면 1時에 해당하는 8刻 120(2시간)이 된다.

20) 劉伯溫 著, 任鐵樵 增註, 袁樹珊 撰集, 『滴天髓闡微』(臺北: 武陵出版有限公司, 2011), <出身>, "子時生人, 前三刻三分, 壬水用事, 後四刻七分, 癸水用事, 評其與寅月生人, 戊土用事何如, 丙火用事何如, 甲木用事何如, 局中所用之神, 與壬水用事者何如, 癸水用事者何如, 窮其淺深, 如墳墓之定方道, 斯可以斷人之禍福."

있어서 서로 태어나는 시간의 차이가 생긴다. 그래서 쌍둥이의 운명이 서로 다를 수밖에 없다는 논리이다.

그러나 이러한 논리를 현대 사회의 현실에 적용하기는 어려움이 있다. 왜냐하면 과거에는 모두 자연분만에 의한 출산이었으므로 최소한 分 단위 이상의 시간의 차이가 생길 수밖에 없었다. 그러나 현대에는 대부분 제왕절개 수술에 의한 출산이다. 그래서 分 단위의 시간이 秒 단위의 시간으로 좁혀진 것이다. 즉 몇 秒 단위로 쌍둥이가 태어나는 시간이 좁혀졌기 때문에 시간의 개념보다 누가 먼저 세상에 나오느냐의 순서에 관한 문제를 중요시해야 한다.

과거에는 오늘날처럼 과학이 발달하지 못하여 이런 상황을 예측하기 어려웠을 것이다. 결국 명리학이라고 하는 운명학은 시대의 변화에 따라 달리 해석해야 하는 부분이 발생하고 있다. 다음은 "같은 연월일에 태어나도 백사람이 각기 자기의 운명을 타고난다."라고 하여 태어난 환경의 중요성까지 살펴야 한다는 예문이 나오는데 이를 원주(原注)로 살펴보겠다.

"같은 연월일에 태어나도 백 사람(많은 사람)이 각기 자기의 운명을 타고나니 마땅히 그 시간의 선후를 살피고 또 산천의 다름과 조상의 덕의 차이를 살펴보면 열에 아홉은 맞다. 맞지 않는 것은 이쪽에 벼슬이 있으면 저쪽은 자식이 많다든지 이쪽이 재물이 많으면 저쪽은 부인이 아름답다든지 하는 작은 차이가 있다. 대저 산천의 다름은 동서남북의 방향뿐만 아니라 출생지가 멀리 다르다면 마땅히 분별하여야 한다."[21]

임철초(任鐵樵)는 『滴天髓闡微』 <生時>편에서 같은 연월일에 태어나도 각기 다른 운명을 가지고 태어난다는 것을 설명하면서 환경적인 요소의 중요성을 강조하고 있다. 즉 산천의 다름과 동서남북의 방향뿐만 아니라 출생지도 멀리 다르다면 마땅히 분별하여야 한다고 했다. 다음은 쌍둥이의 예제를 살펴

---

21) 『滴天髓闡微』, 133쪽, <生時>, "至同年月日而百人各一應者, 當究其時之先後, 又論山川之異, 世德之殊, 十有九驗, 其有不驗者, 不過此則有官, 彼則子多, 此則多財, 彼則妻美, 爲小異耳, 夫山川之異, 不惟東西南北, 逈乎不同者, 宜辯之."

보겠다.

"戊午, 壬戌, 壬子, 乙巳. 壬水가 戌月에 태어났다. 水는 진기(進氣)인데 좌하에 양인이 일주를 돕는다. 年干의 殺은 比肩에 대적하니 일러 일간과 살의 세력이 비슷하다. 病은 午에 있으니 子水를 沖하기 때문이며, 또 巳火도 꺼리는데 子水가 사이에 막고 있어 殺을 생하지 못하게 한다. 이로서 戌 중에 辛金이 암장되어 있으므로 용신이 된다. 동시에 잉태된 쌍생아 모두 진사(進士)에 올랐다."[22]

이와 같이 임철초(任鐵樵)는 『滴天髓闡微』 <出身>편에서 쌍둥이 사주를 예제로 소개하였는데 일란성 쌍둥이인지 이란성 쌍둥이인지 구체적으로 밝히고 있지 않으나 형제가 다 진사(進士)에 올랐다고 하니 일란성 남자 쌍둥이로 추정된다. 그러나 구체적으로 쌍둥이 사주의 간명법은 소개되어 있지 않다. 다음은 두 번째 쌍둥이 사주의 예제가 있는데 이에 대해서 살펴보고자 한다.

"庚戌, 辛巳, 乙卯, 戊寅, 乙木이 巳月에 생하니 상관이 당령하여 족히 관살을 제복시킨다. 좌하에 녹이 일주를 돕고 時에 寅이 있어 등라계갑(藤蘿繫甲)이 되었다. 庚辰년에 이르러 지지가 동방을 이루니, 향방에 들었으나 장원은 못하였다. 이는 사주에 인수가 없고 戊土가 火를 설하여 金을 생하는 연고이다. 동시에 잉태된 쌍생이지만 동생은 卯時에 출생하였는데 비록 녹은 얻었으나 그러나 寅중 甲木의 유력함에는 미치지 못한다. 그러나 甲乙이 암장된 것이 아름답다. 그러므로 늦게 己亥年에 인수가 生을 하고 亥卯 拱木하여 비로소 향방에 들었다."[23]

위 두 번째 예문에서는 동시에 잉태된 쌍생아에 대해서 형을 寅時로 간명하였고, 동생은 卯時에 출생했다고 소개하고 있다. 일란성 쌍둥이인지 이란성

---

22) 『滴天髓闡微』, 440쪽, <出身>, "戊午, 壬戌, 壬子, 乙巳, 壬水生于戌月, 水進氣, 而得座下陽刃幇身, 年干之殺, 比肩攩之, 謂身殺兩停, 其病在午, 子水沖之, 又嫌在巳, 子水隔之, 使其不能生殺, 且戌中辛金暗藏爲用, 同胞雙生, 皆中進士."

23) 『滴天髓闡微』, 441쪽, <出身>, "庚戌, 辛巳, 乙卯, 戊寅, 乙木生于巳月, 傷官當令, 足以制官伏殺, 座下祿支扶, 身寅時于藤蘿繫甲, 至庚辰年支類東方, 中鄕榜, 不發甲, 只因四柱無印, 戊土洩火生金之故也, 同胞雙生, 其弟生卯時, 雖亦得祿不及寅中甲木有力, 而藏之爲美, 故遲至己亥年, 印星生拱, 始中鄕榜也."

쌍둥이인지 분명히 밝히고 있지 않으나 형제가 다 향방(鄕榜)에 올랐다고 하니, 성별이 같은 일란성 쌍둥이로 유추할 수가 있다. 그리고 예문에서 형을 寅時로 간명하였기 때문에 형의 출생 시간을 寅時로 추정해 볼 수도 있다. 그렇다면 이는 차시법(次時法)을 사용한 것이 아니라 형과 동생의 출생 시간이 서로 달라서 각각 태어난 시간을 기준으로 간명을 한 것으로 볼 수 있다. 그래서 형은 寅時로 간명을 하였고, 동생은 卯時로 간명을 했던 것으로 보인다.

이 부분에 대해서 일부 학자들은 차시법(次時法)을 사용했을 것으로 오해를 하고 있다. 그러나 예문에는 분명히 동생의 출생 시간이 卯時로 소개되어 있다는 점을 잘 살펴볼 필요가 있다. 즉 형은 寅時에 태어나고 동생은 卯時에 태어난 것으로 추정할 수 있다. 따라서 형이 태어난 다음 시로 동생을 간명한 것이 아니고, 동생이 실제 태어난 시간을 가지고 간명하였다는 것이다. 다만 형의 출생 시간이 명확하지 않아서 어떤 간명법을 사용하였는지 확인할 방법은 없다. 차시법을 주장하는 일부 학자들은 동생의 출생 시간이 卯時로 확실하므로, 형의 출생 시간도 동생과 같은 卯時라고 주장을 한다. 즉, 형제가 같은 시간에 태어났으나 차시법의 논리에 따라 형이 동생보다 한 시간 먼저 태어난 것으로 간명했다는 주장이다.

따라서 이 부분이 명확하지 않기 때문에 일부 학자들은 동생의 출생 시간은 태어난 시간을 그대로 간명하고, 형은 동생이 태어난 시간을 기준으로 하여 동생보다 앞 시간에 태어난 것으로 간명을 해야 한다고 주장하고 있다. 만약 동생이 寅시에 태어났다고 가정한다면 형은 丑시에 태어난 것으로 사주를 해석해야 한다는 것이다. 이런 논리라고 한다면 아직 태어나지도 않은 사람을 이미 태어나 있는 것처럼 사주를 해석하기 때문에 모순이 발생한다. 결국 동생을 형이 태어난 다음 시간으로 간명하는 방법이나 태어나지도 않은 형을 동생의 출생 시간보다 앞 시간으로 당겨서 해석하는 차시법의 이론은 위 예제에 대한 오해에서 발생하였다고 보인다. 결국 위 예제에 대한 답을 찾을 방법은 없다.

다음은 서낙오(徐樂吾)24)가 註를 단 『窮通寶鑑』25) <三冬庚金>의 예제 문에 쌍둥이 형제의 명조가 있는데 다음과 같이 알아보기로 한다.

"己巳, 丁丑, 庚子, 甲申으로서 쌍둥이 형제이며 형은 擧人이었고, 아우는 茂才였는바, 아우는 酉時인데 甲木이 없기 때문이다. 丁火로 庚金을 하련(煆煉)하게 되며 巳 중 丙火로 調候하여 원국을 온난하게 한다. 丁火가 甲木과 떨어져 있지만 존재하는데 甲木이 없다면 丁火를 用함에 있어서는 부족하게 되니 그에 따라 귀하지 못하는 것이다."26)

위 예문을 보면 時를 달리한 甲申 時의 擧人(향시에 급제하여 會試에 응시한 사람)을 지낸 형과 茂才(주, 현, 학교에 입학한 생원)를 지낸 乙酉 時의 쌍둥이 형제의 예문이 있는데 정확히 時를 달리해서 태어났는지, 아니면 서락오가 임의로 태어난 시간을 달리해서 쌍둥이를 해석하였는지 불분명하다. 그러나 예문의 내용으로 보아서는 동시에 잉태된 쌍둥이가 서로 시간을 달리해서 태어났을 것으로 추정해 볼 수는 있겠다. 다만 예문에는 쌍둥이 형제의 태어난 시간이 명확하게 기록되어 있지 않기 때문에 학자들은 견해를 달리하는 경우가 있다.

다음은 원수산(袁樹珊)27)의 『命理探原』28)에서 쌍둥이를 구별함에 있어 "명

---

24) 徐樂吾(1886,04,06-1948)는 중국 청나라 말기 때 인물로 중국 근대 명리학계의 최고 거두로서 용신 정하는 다섯가지(억부, 통관, 병약, 조후, 전왕용신) 원칙을 최초로 정립하였다. 그리고 『命理尋原』(1935년), 『子平眞詮評註』(1936), 『滴天髓補註』(1937년), 『評註窮通寶鑑』, 『子平粹言』(1938년), 『造化元鑰評註』(1941년), 『滴天髓闡微』 등을 저술하였다.

25) 중국 청나라 말기 때 余春台가 명대의 저자 미상 작품인 秘書로 내려온 『欄江網』 또는 『造化元鑰』을 다시 모아 『窮通寶鑑』 이란 명칭으로 재발간한 책으로 명리학에서는 『子平眞詮』, 『滴天髓』와 같이 명리 삼대 보서로 인식되고 있으며 음양오행 이론과 物象論 으로 조후이론을 제시하고 있다.

26) 徐樂吾 註, 『窮通寶鑑』(臺北: 武陵出版有限公司, 2010), 153쪽 <三冬庚金> "己巳, 丁丑, 庚子, 甲申, 弟雙生 兄 擧人 弟茂才 弟酉時 無甲故也 丁火煆庚 己中丙火暖局 丁火阻甲以存 無甲 丁火之用不足 故不貴也."

27) 袁樹珊(1881-?)은 중국 청나라 시대 때의 명리학자로서 저서로는 명리학의 연원과 역사정리서인 1912년에 발표한 『命理探原』이 이 있고 그리고 『命譜』, 『滴天髓闡微增註』

주가 아주 왕하면 동생이 잘살고, 명주가 약하면 형이 잘살고, 명주가 왕하지
도 약하지도 않으면 형제가 비슷하다."라고 하였는데 원문을 살펴보겠다.

"「전당서계영건원비지」의 쌍둥이를 구별함에 명주가 태왕하면 동생이 잘 살고
태약하면 장자인 형이 잘 산다고 하고 명주가 왕(旺)하지도 약(弱)하지도 않으면
형제간 대강 비슷하다."

전당서계영건원비지 「錢塘舒繼英乾元秘旨」에서는 쌍둥이의 사주를 신약,
신강으로 구별하고 있다. 즉 명주가 왕(旺)하면 동생이 잘살고, 약(弱)하면 형
이 잘살고, 왕하지도 약하지도 않으면 형제가 비슷하다고 하였는데, 같은 시
간에 태어난 쌍둥이인지, 서로 시간을 달리하여 태어난 쌍둥이인지, 명시되
어 있지 않고 단순히 '태왕하면 동생이 잘살고 약하면 형이 잘산다'라고 하여
빈부의 차이만 논하고 있을 뿐이다. 그 당시의 시대환경을 생각해 볼 때 태
어난 시간의 중요성보다 쌍둥이 중 어느 쪽이 더 잘살 수 있는지 빈부의 차
이를 중요시하였다고 생각한다. 따라서 쌍둥이를 태어난 시간과 관계없이 신
약, 신강으로 구별하여 빈부의 차이를 명시했던 것으로 추정해 볼 수 있다.
  이상으로 명리 원전의 쌍둥이 이론을 모두 살펴보았다. 이와같이 명리 원
전에서는 쌍둥이를 어떻게 간명하였는지, 구체적인 간명법을 논하는 이론을
발견할 수 없었다. 다만 명리원전의 이론에서는 그 당시에도 쌍둥이에 관한
간명법이 사용되었다는 사실을 확인할 수 있었을 뿐이다. 그러나 명리원전
에 기록되어 있는 자료들이 지극히 희소하고, 상세하지 못하여 이를 가지고
쌍둥이 사주의 간명법을 특정하기는 쉽지 않다.

  등이 있다.
28) 『命理探原』은 중국 袁樹珊이 1912에 발표한 고금의 명리학설들을 모은 서적이다.

2. 명리원전의 쌍둥이 간명 이론 분석

명리원전을 통해서 확인할 수 있는 쌍둥이 사주의 간명법은 크게 네 가지로 분류할 수가 있는데 사주팔자를 인위적으로 변경하지 않았고, 쌍둥이가 태어난 연월일시를 그대로 활용하여 간명을 했던 것으로 확인할 수 있었다. 다만 차시법에 대해서는 논란이 있는데 현대의 대합법이나 대충법 그리고 대운순역법과 같이 인위적으로 사주를 전면적으로 변경하지는 않았다는 것이다. 차시법에 관해서는 아쉽게도 문헌만으로는 쌍둥이의 태어난 시간을 서로 다르게 적용했는지, 아니면 태어난 시간이 서로 달라서 실제 태어난 시간을 적용했는지, 확인할 방법이 없다. 다음은 명리원전에 나와 있는 쌍둥이와 관련된 이론을 네 가지로 분류하여 아래와 같이 정리하고자 한다.

첫째 전통적인 명리 원전에서 쌍둥이 사주에 차시법을 활용했는지, 여부에 대한 관점이다. 이 부분에서 명리학자들의 많은 오해가 발생하고 있다. 명리 원전에서 확인할 수 있는 내용은 동시에 잉태되었으나 시간을 각각 달리해서 태어난 쌍둥이 형제에게 각자의 태어난 시간으로 사주를 간명한 것이 확인될 뿐이다. 명리원전에서는 안타깝게도 같은 날 같은 시간에 태어난 쌍둥이의 사례는 찾아볼 수가 없었다. 쌍둥이가 태어난 시간이 서로 다르다면 각자의 태어난 시간으로 사주를 해석하는 것은 당연한 논리이다. 이를 차시법으로 생각한다면 논리에 맞지 않는다.

그런데 차시법을 활용하는 학자들의 주장은 원전에 나와 있는 사례를 근거로 내세우고 있다. 그러나 명리원전에는 쌍둥이에 대한 그 어떤 간명법도 구체적으로 나와 있는 이론이 없다. 즉 모든 쌍둥이에게 차시법을 사용한 것이 아니고, 서로 태어난 시간이 다른 쌍둥이에게 각자 태어난 시간을 적용하여 간명을 했다는 사실을 확인할 수 있었을 뿐이다. 과거에는 모두 자연분만으로 출생하였기 때문에 쌍둥이가 태어나는 시간의 간격이 클 수밖에 없었고, 시간의 개념도 오늘날처럼 정확하지 않았기 때문에 어쩔 수 없이 시간을 달리해서 간명을 할 수밖에 없었을 것으로 추정한다.

둘째 만민영의 『三命通會』에서 "여명의 사주에 寅申巳亥가 많으면 쌍둥이를 낳는 기운을 가지고 있다. 亥 수가 많으면 남자 쌍둥이를 낳는 기운이 강하고, 巳 화가 많으면 여자 쌍둥이를 낳는 기운이 강하다."라는 예문이 나오는데, 본 연구의 주된 방향은 일란성 쌍둥이의 효율적인 간명법을 도출하는 것이다. 따라서 이 부분에 대해서는 구체적으로 논하지 않겠다. 다만 사실 여부를 확인하는 차원에서 쌍둥이를 낳은 여자 10명 정도의 사주를 분석해 보겠다. 그리고 일란성 쌍둥이의 간명법을 연구하는 과정에서 확인되는 사항이 있으면 그 내용을 기술하고자 한다.

셋째 "일간의 음양으로 보아 형이 양 일생인 양간이면 잘살고, 동생이 음 일생으로 음간이면 잘산다"라는 예문이 나온다. 만약 이 예문의 논리가 적합하다면 쌍둥이의 사주를 아주 쉽게 해석할 수 있다. 즉 사주를 보는 순간 쌍둥이 형제의 빈부를 쉽게 판별할 수 있기 때문이다. 그래서 이 예문에 대한 논리의 타당성 여부에 대해서는 꼭 사실관계 여부를 확인할 필요가 있다고 생각한다. 따라서 본 저자는 쌍둥이 사주 33개의 사례를 분석하는 과정에서 이 예문에 대한 타당성 여부를 확인해 보겠다.

넷째 원수산의 『命理探原』에서 "쌍둥이를 구별함에 있어 명주가 아주 왕하면 동생이 잘살고, 명주가 약하면 형이 잘살고, 명주가 왕하지도 약하지도 않으면 형제가 비슷하다."라는 예문이 나온다. 이에 대한 논리의 적합성 여부도 33개의 쌍둥이 사주를 사례 분석하는 과정에서 사실관계 여부를 확인하고자 한다.

이와같이 간단하고 명료하게 쌍둥이 사주에 관해서 간명할 방법이 있다면 쌍둥이 사주에 대해 깊게 고민할 필요가 없다고 생각한다. 왜냐하면 사주를 살펴서 일간의 동태와 신약과 신강 여부만 확인하게 되면 쌍둥이 형제의 길흉에 관해서 쉽게 판단할 수 있기 때문이다.

기타 "같은 연월일에 태어나도 산천의 다름과 조상 덕의 차이가 있어 각기 자기의 운명을 타고난다"라는 예문으로 보아서 출생지나 거주지와 같은 환경적인 요소의 중요성을 강조하고 있다. 그리고 조상 덕의 차이란? 선을 베풀고 악을 행하지 말라는 의미로써 가정의 인적 요소 즉 궁합의 관계도 운명에 영향을 끼치고 있음을 뜻한다고 생각한다. 이와같이 명리 원전의 쌍둥이 사주에 관한 이론은 너무나 간단하고 추상적이므로 과거에 쌍둥이 사주를 어떻게 간명하였는지, 구체적인 쌍둥이 사주의 간명법에 대해서 확인할 방법이 없다.

위와같이 명리원전에 나와 있는 쌍둥이 사주의 이론과 간명법을 모두 분석해 보았다. 그러나 명리원전에 나와 있는 쌍둥이 사주의 이론이나 선행 논문에서 연구한 내용만으로는 쌍둥이 사주의 효율적인 간명법을 도출해 낼 방법이 없다. 그리고 『命理約言』, 『淵海子平』 등의 명리원전에서는 쌍둥이 사주의 이론에 관한 언급이 전혀 없었다.

Ⅲ. 현대 명리의 쌍둥이 사주 간명 이론

1. 현대 쌍둥이 간명 이론 검토

현대에 와서 인구의 증가와 함께 의료 기술의 발달로 인하여 쌍둥이의 출생률도 증가하는 상황이다. 특히 인공수정이나 제왕절개 수술의 발달은 다란성 쌍둥이의 출생률을 높이는 결과를 가져왔다. 그리고 쌍둥이들의 출생 시간도 크게 단축하는 결과를 가져왔다. 과거에는 모두 자연분만으로 쌍둥이를 출산하였기 때문에 쌍둥이들이 태어나는 시간의 간격이 심할 수밖에 없었다. 즉 오전에 쌍둥이 형이 태어나고, 오후에는 쌍둥이 동생이 태어나는 사례도 있었다고 한다.

그러나 현대에는 제왕절개 수술의 발달로 인하여 1분 안에 네 명의 쌍둥이 형제가 출생하는 사례도 있었다. 쌍둥이의 출산과 관련하여 과거와 현대의 가장 큰 차이점은 태어나는 시간의 단축이란 점이다. 과거에는 대부분 쌍둥이가 태어나는 시간이 서로 달라서 각자의 출생 시간을 기준으로 사주를 해석해도 크게 무리가 없었을 것이다. 그러나 현대에는 제왕절개 수술의 발달로 인하여 쌍둥이들이 대부분 같은 시간에 태어나고 있다. 따라서 차시법을 사용하여 쌍둥이 사주를 간명한다면 큰 오류가 발생할 수밖에 없다고 생각한다.

쌍둥이 사주의 간명 이론이 어떻게 발전하게 되었는지 그 과정을 기록한 문헌은 존재하지 않는다. 따라서 명리학자들을 상대로 쌍둥이 사주의 변천 과정을 확인하는 방법밖에 없다. 문헌을 참고한다면 사주학의 시초라고 할 수 있는 옥조신응진경『玉照神應眞經』에서 쌍둥이가 언급되고 있는 사실을 확인할 수 있을 뿐이다. 그리고 『三命通會』, 『子平眞詮』, 『滴天髓闡微』, 『窮通寶鑑』, 등 명리원전으로 이어져 내려왔다는 사실을 확인할 수 있다.

쌍둥이 사주에 관한 간명법에 관해서는 『滴天髓闡微』와 『窮通寶鑑』, <三冬

庚金>에 나와 있는 시간을 달리하여 태어난 쌍둥이 형제의 예제를 참고할 수 있을 뿐이다. 결국 현대의 쌍둥이 간명 이론에 대한 발전과정에 대해서는 재야의 학자들을 통한 탐문 정보를 활용하여 추정해 볼 수밖에 없다. 그리고 제한된 범위에서 명리원전을 참고할 수 있을 뿐이다. 본 저자가 재야의 학자들을 통해서 쌍둥이 사주의 발달과정을 확인한 결과는 다음과 같다.

현대의 쌍둥이 사주의 간명법은 임철초의 『滴天髓闡微』 <出身>」편에 나와 있는 쌍둥이 사주의 예제와 서낙오가 주(註)를 단 『窮通寶鑑』, <三冬庚金>에 나와 있는 쌍둥이 형제의 명조를 근거로 선학(先學)들이 차시법을 사용했던 것으로 추정된다. 그러나 시대의 변화에 따라 차시법이 쌍둥이 사주의 간명에 맞지 않게 되자 그 대안으로 대합법(對合法) 이론이 등장하게 된 것이다. 대합법은 인간의 생리적인 현상을 사주 명리에 접목한 이론이다. 모태(母胎) 안에서 쌍둥이가 대칭으로 마주 보고 자라는 모습을 보고서 태아(胎兒)가 합(合)이 되어 한 쌍을 이룬다는 명리학적인 논리를 적용한 것이다. 그런데 대합법은 시두법(時頭法)이나 월두법(月頭法)의 원리에 맞지 않을 뿐만 아니라 같은 날 같은 시간에 태어난 쌍둥이가 몇 년씩 시간의 간격이 생기기 때문에 논리적이지 못하다는 이유로 활용이 어렵게 되었다.

그러자 대합법에 대응하여 "쌍둥이가 생리적으로 모태 안에서 대칭으로 마주 보고 자라는 모습은 합의 모습이 아니라 충의 모습이다."라는 반대 논리가 제기되었다고 생각한다. 이를 대충법(對沖法), 가충법(假沖法), 이충법(以沖法)이라고도 한다. 대충법에서 주장하는 논리는 음양의 논리에 있어서 음과 음, 양과 양끼리는 서로 충을 한다는 논리를 제시한다. 특히 "일란성 쌍둥이는 모두 성별이 같아서 충의 원리로 접근해야 한다."라는 논리를 주장하고 있다. 그러나 대충법 이론을 활용하는 학자는 극소수에 불과하고, 인간의 생리적인 현상을 명리학에 접목하였다는 점에서 대합법과 같은 문제점이 발생할 수밖에 없었다고 생각한다.

대합법 이론이나 대충법 이론이 쌍둥이 사주에 적절하지 못하다는 사실을 확인한 명리학자들은 다른 대안이 필요하게 되었다. 그래서 최근에는 쌍둥이의 대운을 서로 바꿔서 보는 대운순역법(大運順逆法)이 등장하게 된 것이다. 대운순역법의 문제점은 성별이 같은 일란성 쌍둥이의 사주나 성별이 다른 이란성 쌍둥이의 대운이 모두 같은 방식으로 구성되고, 대운이 바뀐다고 하여 쌍둥이의 기본 성격이 크게 달라지지 않는다는 등 많은 문제점이 발생하게 되었다. 쌍둥이의 대운이 바뀌게 되면 운명의 흐름은 달라지겠지만 음양의 논리에 반한다는 비난을 면할 수 없다. 즉 남명이 양년(陽年) 생이면 순행하고 음년(陰年) 생이면 역행해야 하는데 대운순역법은 이를 부정하는 이론이다. 그러함에도 불구하고 명리학자들이 최근에 가장 많이 활용하고 있는 쌍둥이 사주의 간명법이 대운순역법이다.

2. 현대 쌍둥이 사주 간명법

1) 재야에서 통용되는 이론

본 저자는 현재 재야의 학자들이 쌍둥이 사주를 어떤 간명법으로 해석하는 지 알아보고자 서울 강북권에 위치하는 철학관 5개소를 직접 방문하여 면담 조사를 하였다. 그리고 나머지 지역은 시간과 거리에 따른 문제로 인해 전화로 면담 조사를 대체하였다. 면담 조사는 서울을 비롯한 7개 지역(제주, 부산, 광주, 대구, 대전, 경기)에서, 직접 사주 상담을 하는 명리학자 35명을 상대로 대면 또는 전화를 이용하여 실시하였다. 그 결과는 다음 <표1>과 같다.

<표 1> 쌍둥이 간명법 조사표

번호	지역	① 대운순역법	② 대합법	③ 시주간명법	④ 차시법	⑤ 기타
1	서울	2명	2명			1명
2	제주		1명		1명	3명
3	부산	1명		1명	1명	2명
4	광주	2명	1명			2명
5	대구	2명		2명		1명
6	대전	1명	1명			3명
7	경기	1명	1명			3명
합계		9/35명	6/35명	3/35명	2/35명	15/35명

다음은 저자가 방문 및 면담 조사로 인지하게 된 재야에서 통용되는 쌍둥이 사주의 간명법에 대한 이론을 정리하고자 한다. 현재 재야에서 활용되고 있는 쌍둥이 사주의 간명법은 모두 16개 정도로 분류할 수 있다. 그 외에 명리학자 개인이 다양한 이름을 붙여서 활용하는 간명법이 존재하고 있으나 모두 비과학적이라고 생각하여 본 논문에서는 논하지 않겠다.

그러면 현재 재야의 학자들이 가장 많이 활용하고 있는 대운순역법(大運順

逆法)부터 시작하여 나머지 15개의 쌍둥이 이론을 다음과 같이 정리하고자 한다.

(1) 대운순역법

대운순역법은 최근에 재야의 학자들이 가장 많이 활용하고 있는 쌍둥이 사주의 간명법이다. 그러나 대운순역법도 명확한 이론적 근거나 관련 문헌은 존재하지 않는다. 즉 쌍둥이 사주의 모든 이론이 명확하게 근거를 제시하지 못하고 있다. 쌍둥이 사주에 대한 정립된 이론이 없어서 학자들이 막연히 활용하고 있을 뿐이다. 대운순역법은 차시법과 대합법 이론으로 한계를 경험한 재야의 학자들이 효율적인 간명법을 찾지 못하고, 막연하게 대운을 바꿔서 사용하고 있을 뿐이다.

대운을 인위적으로 바꾼다는 점에서 사주팔자를 인위적으로 바꾸는 대합법이나 대충법과 특별히 다를 바가 없다는 비판이 있다. 그리고 이들 이론은 다란성 쌍둥이의 간명에 적용하기 어렵다. 즉 3명 이상의 다란성 쌍둥이에 대한 간명은 어떻게 할 것인가? 라는 질문에 답할 수 없는 이론이다. 결국 대운순역법은 논리의 확장이 어렵고, 성별이 다른 이란성 쌍둥이의 사주와 대운의 구조가 같다는 점에서 설득력이 없다. 즉 명리학의 음양의 원리를 부정하는 이론이다. 남명이 양(陽) 년생에 해당하면 순행하고, 음(陰) 년생이면 역행한다는 원리를 부정하는 이론이다. 대운순역법의 쌍둥이 사주 구성은 다음과 같다.

예) 대운순역법에 의한 쌍둥이 사주의 구성(동생의 대운을 형의 대운의 역으로 구성)

시 일 월 년
壬 乙 戊 壬
午 未 申 寅
乙甲癸壬辛庚己

卯寅丑子亥戌酉　　(형의 대운)

辛壬癸甲乙丙丁
丑寅卯辰巳午未　　(동생 대운)

　　대운순역법이 아니더라도 이란성 쌍둥이의 대운은 당연히 서로 역(逆)의 관계가 형성된다. 그러함에도 불구하고 일란성 쌍둥이의 대운을 서로 바꾼다는 것은 명리학의 근본적인 원리인 음양 관계를 거스르는 것이 되므로 설득력이 없다고 본다. 즉 남명의 사주가 연간이 양 간이면 순행을 해야 하는데 일란성 쌍둥이의 경우에는 남명이더라도 동생의 사주는 역행을 시킨다는 논리가 대운순역법이다. 음양 관계를 무시하더라도 적중률이 높게 나타난다면 부정할 필요가 없겠지만 적중률이 지극히 낮다는 점에서 문제가 된다.

　　그러함에도 불구하고 재야의 학자들이 대운순역법을 가장 많이 활용하는 이유는 쌍둥이 사주에 적합한 이론을 찾지 못하기 때문이다. 예전에 사용해 왔던 차시법이나 대합법이 쌍둥이 사주에 맞지 않게 되자 그 대안으로 막연하게 대운을 바꾸는 방법을 사용한 것으로 보인다.

(2) 사주대합법

　　대합법의 명칭은 가합법, 이합법, 합사주, 등 다양한 이름으로 사용되고 있다. 저자는 대합법을 다음과 같이 정리하고자 한다. 대합법이라고 하는 이른바 합사주 이론의 근거는 인간의 생리적인 면을 보고 인위적으로 만든 이론이다. 쌍생아가 모태 안에서 서로 대칭으로 마주 보고 자라는 형상을 보고 선학들이 대합법의 원리를 적용한 것이라고 한다. 그러니까 대합법은 명리학적 관점에서 접근하는 이론이 아니라 인간의 생리적인 현상을 명리학에 접목한 이론이다. 즉 의료 기술이 발달함으로써 모태 안에서 쌍생아가 자라는 모습을 관찰할 수 있게 되었고, 그 기술을 이용하여 인위적으로 만들어낸 이론이 대합법 이론이다. 따라서 먼 과거부터 전해져 내려온 이론이 아니라 현대에 이르러서 명리학자들이 새롭게 개발해 낸 이론이다. 대합법의 종류에는 사주대합법, 일주시주대합법, 일주대합법, 등이 있다. 이들 모두 인위적으로 만들어지기 때문에 형(언니)과 동생의 사주가 각각 다를 수밖에 없다. 대합법은 사주팔자를 인위적으로 바꿔서 인간의 운명을 간명하게 된 최초의 이론이다. 그러나 대합법도 다란성 쌍둥이에 대해서는 설명할 수 없고, 시두법이나 월두법에 맞지 않는 조합이 이루어지기 때문에 쌍둥이의 간명에 적합한 이론이라고 할 수는 없다.

예) 사주대합법에 의한 쌍둥이 사주의 구성(천간합과 지지육합으로 구성)

시 일 월 년		시 일 월 년
壬 乙 戊 壬		丁 庚 癸 丁
午 未 申 寅		未 午 巳 亥
(형의 사주)	⇒	(동생 사주)

사주대합법은 천간합과 지지육합의 원리를 이용하여 새로운 동생의 사주를 만들어낸다는 점에 특징이 있다. 따라서 동생의 사주팔자가 모두 바뀌게 된다. 대합법은 쌍둥이 형제의 성격이 서로 다르다는 점에 중점을 두었던 이론이 아닌가 생각한다. 그러나 실제 쌍둥이의 운명을 간명하는 이론으로서는 적절하지 않다. 왜냐하면 한날한시에 태어난 쌍둥이가 수년의 나이 차이가 생겨버린다. 또한 논리의 확장에 문제가 생긴다. 즉 3인 이상의 다란성 쌍둥이에게는 어떻게 적용할 것인가의 문제이다. 만약 세 번째 쌍둥이가 있다면 합사주로서는 접근하기 어렵다는 문제가 발생한다.

사주대합법은 동생의 사주를 천간합과 지지육합으로 변경하여 보는 방법뿐만 아니라 대운까지도 형이 순행하면 동생은 역행으로 변경한다는 논리를 주장하고 있다. 이 부분에 대해 학자들은 견해를 달리하는 경우가 있다. 합사주는 사주 원국을 합의 원리로 변경하는 것이지 대운까지 바꿀 필요가 없다는 주장이다. 즉 대합법을 활용하는 학자들도 각각 다른 대합법을 사용하고 있다는 점을 확인할 수 있었다. 어느 주장이 적절한지에 대해서 굳이 논할 필요는 없다. 그러나 명리학적으로 접근하자면 월주가 바뀌면 대운도 바뀌는 게 당연한 원리이다. 다만 본 저자는 대운까지 바꾸게 되면 연구에 많은 혼란이 생길 수 있으므로 사주 원국에 한해서 합의 원리를 적용해야 한다는 일반적인 합사주 이론을 대상으로 연구를 진행하고자 한다.

사주대합법에 의한 쌍둥이 사주의 구성(동생의 대운을 형의 대운의 역으로 구성한다)

壬 乙 戊 壬
午 未 申 寅
乙甲癸壬辛庚己
卯寅丑子亥戌酉   (형의 대운)

丁 庚 癸 丁
未 未 巳 亥
辛壬癸甲乙丙丁
丑寅卯辰巳午未   (동생의 대운)

(3) 일주시주대합법

일주시주대합법은 형의 사주는 태어난 그대로 보고, 동생의 사주는 일주와 시주를 천간합과 지지육합으로 변경하여 보는 간명법이다. 일주시주대합법의 주된 논리는 쌍둥이의 운명은 결혼 이후부터 달라지므로 중년기와 노년기의 운을 다르게 살펴야 한다는 주장이다. 그러나 쌍둥이의 운명이 반드시 결혼

이후부터 달라지는 것만은 아니다. 따라서 일주시주대합법은 사주대합법의 문제를 보충하고자 만들어진 간명법이 아닌가 생각한다. 즉 사주대합법의 경우는 형과 아우의 나이 차이가 너무 심해서 이를 보충할 목적으로 일주시주대합법이 만들어졌다고 생각한다.

예) 일주시주대합법에 의한 쌍둥이 사주의 구성(일주와 시주만 천간합과 지지육합으로 구성)

```
시 일 월 년              시 일 월 년
壬 乙 戊 壬              丁 庚 癸 丁
午 未 申 寅              未 未 巳 亥
 (형의 사주)      ⇒      (동생 사주)
```

(4) 일주대합법

일주대합법은 형의 사주는 태어난 그대로 보면서, 동생의 사주를 일주만 천간합과 지지육합으로 변경하여 보는 간명법이다. 일주만 바뀌기 때문은 대운에는 영향이 없다. 일주가 주체이기 때문에 일주만 변경해서 사용한다는 게 일주대합법의 논리이다. 즉 조상궁이나 부모궁 그리고 자식궁까지 변경할 필요가 없다는 뜻이다. 결국 어떤 대합법을 사용하더라도 같은 날 같은 시간에 태어난 쌍둥이를 서로 다른 날짜에 태어난 것처럼 인위적으로 사주를 만든다는 점에서 설득력을 얻기 어렵다. 일주대합법도 쌍둥이의 성격이 서로 다르다는 점에 중점을 두고 만들어진 이론이 아닌가 생각한다. 일주대합법에 의한 쌍둥이 사주의 명조 구성은 다음과 같다.

예) 일주대합법에 의한 쌍둥이 사주의 구성(일주만 천간합과 지지육합으로 구성)

```
시 일 월 년                    시 일 월 년
壬 乙 戊 壬                    壬 庚 癸 丁
午 未 申 寅                    午 午 巳 亥
(형의 사주)        ⇒          (동생 사주)
```

(5) 시주간명법

시주간명법 이론의 근원은 확인할 방법이 없다. 다만 정확한 시기를 특정할 수는 없지만 예로부터 전해져 내려오던 쌍둥이 사주의 간명법이 분명하다. 시주간명법은 2014년 1월 25일 「KBSⅡ 추적 60분 750105 운명의 바코드」 일란성 쌍둥이의 사주와 그 운명은 같은 것일까? 라는 TV프로에 소개가 된 이후부터 학자들이 관심을 가지게 된 쌍둥이 사주의 간명법이다.

시주간명법이란 쌍둥이 형·언니는 시간(時干)을 위주로 보고, 쌍둥이 동생은 시지(時支)를 위주로 보아 사주를 해석한다는 이론이다. 다란성 쌍둥이의 경우에는 時支의 지장간을 여기·중기·본기, 순으로 구별해서 보아야 한다. 즉 다란성 쌍둥이가 태어났을 경우 첫째 쌍둥이는 時干을 위주로 보고, 둘째 쌍둥이는 時支를 위주로 보고, 셋째 쌍둥이는 지장간의 여기를 위주로 보고, 넷째 쌍둥이는 지장간의 중기를 위주로 보고, 다섯째 쌍둥이는 지장간의 정기를 위주로 보아야 한다는 이론이다. 그러나 자연분만의 경우 넷째 이후에는 출산에 많은 시간이 경과 될 수 있으므로 시주가 그 이후의 시간으로 달라질 가능성이 매우 크다.

쌍둥이 사주의 간명은 천지인 사상이 근원이다. 천(天)은 시간이고, 지(地)는 공간이며, 인(人)은 궁합을 말한다. 이들 중에서 태어난 시간을 사주팔자로 구성하는 천(天)의 사상, 즉 시간이 가장 중요하다. 따라서 쌍둥이의 간명은 먼저 시주간명법으로 사주를 살펴보고, 나머지 풀리지 않는 부분에 대해서 살아가는 공간, 직업, 배우자와의 관계 등을 종합적으로 살펴서 간명을 해야 한다. 왜냐하면 사주팔자(四柱八字)는 년주에 60개의 간지가 배정되고, 월주는 12

개월에 해당하고, 일주는 60갑자로 구성되어 있다. 그리고 시주는 12시간이 정해질 수 있어서 이들을 모두 합하여 경우의 수를 계산하게 된다면 518,400(60×12×60×12=518,400)의 경우의 개수가 계산된다고 한다. 물론 각종 출생지, 거주지, 등 복잡한 요소들을 더 첨가하게 되면 경우의 수는 더 좁혀질 수도 있다. 그러함에도 불구하고 대한민국의 인구수와 사주팔자의 경우의 수를 대입하여 계산한다면 같은 날 같은 시간에 태어난 사람이 약 100명 정도 된다고 한다. 이를 남자와 여자로 구분해서 계산하게 되면 약 50명 정도의 동일한 사주가 존재한다는 것이다.

그렇다면 동일한 시간에 태어난 사람들의 운명이 사주학으로 볼 때 모두 같을 것인가? 라는 의문이 생길 수 있겠지만 절대 같을 수 없는 것이 사람의 운명이다. 바로 천(天), 지(地), 인(人)의 사상이 존재하기 때문이다. 같은 날, 같은 장소에서 같은 부모로부터 태어난 쌍둥이도 운명이 다를 수밖에 없다. 살아가는 공간이 다르고, 생활하는 사람들이 다르기 때문이다. 따라서 쌍둥이 사주나 동일사주를 간명할 때는 이런 요소들을 잘 살펴야 한다.

이번 연구가 추구하는 바는 쌍둥이의 사주팔자를 어떤 간명법으로 풀어야 효율적이겠는가? 라는 천(天)의 사상, 즉 시간에 중점을 두었기 때문에 공간적인 요소나 궁합의 관계는 더 논하지 않기로 한다. 다음은 시주 간명법의 이론적 근거를 살펴보겠다.

시주간명법을 활용하는 학자들은 만민영이 편찬한 『三命通會』의 예시를 이론적 근거로 주장하고 있다. "우연히 동시에 한 어머니에게서 태어나면 어떻게 귀천과 영고(榮枯)를 구별합니까?"하고 물으니 대답하길, "무릇 1시에는 8각 12분이 있어서 (그 시각의) 심천(深淺)과 전후(前後)가 있으므로 길흉이 똑같지 않다."라는 예문이 나오는데, 이 예문에서 전후와 심천은 태어나는 시간과 순서 그리고 깊이를 말한다는 것이다. 그래서 먼저 태어나는 형은 천기(天氣)의 기운을 가지고, 나중에 태어나는 동생은 지기(地氣)의 기운을 가지게 되므로 형을 時干으로 간명을 하고, 동생을 時支로 간명을 하면 된다. 그리고 다란성 쌍둥이의 경우 지장간의 여기, 중기, 정기를 태어나는 순서에 따라 간명하면 무리가 없다고 주장한다.

물론 시주간명법을 비롯하여 현재 활용되고 있는 모든 쌍둥이 사주의 이론적 근거는 어디에서도 그 근원을 찾을 수가 없다. 명리 원전에도 쌍둥이 사주의 사례가 일부 기술되어 있을 뿐이지, 명확한 이론적 근거를 제시하지 않았다. 따라서 시주간명론의 근거로 제시하는 『三命通會』의 심천과 전후론의 예시를 부정하는 학자도 있을 수 있다고 생각한다. 왜냐하면 근거가 명확하지 않기 때문이다. 그러나 현재 시주간명법을 활용하는 학자들의 주장이나 저자가 그동안 연구한 내용을 종합해 볼 때 『三命通會』의 예시는 시주간명법에 대한 이론적 근거로서 어느 정도 타당성이 있다고 생각한다.

그리고 논자는 쌍둥이 사주의 이론적 근거는 명리학적인 관점에서 찾아야 하고, 그 해답은 명리학의 궁성론(宮星論)에 있다고 생각한다. 궁성론이란 팔자의 자리 즉 궁위(宮位)에 육친성(六親星)을 결합하는 이론을 말한다. 궁성론에 의한 사주의 육친 구성법에 따르면 년간은 조부의 자리이고, 월간은 부친의 자리이고, 일간이 나의 자리이다. 그리고 각각의 지지는 그 배우자의 자리가 된다. 따라서 년간, 월간, 일간에는 하나의 인격체만 들어갈 수가 있다.

그런데 일란성 쌍둥이는 성별이 같은 두 개의 인격체이다. 그래서 일간의 자리에 성별이 같은 쌍둥이가 같이 들어갈 수가 없는 것이다. 그렇다면 쌍둥이가 들어갈 수 있는 자리를 찾아야 하는데 그곳은 사주 중에서 시주 자리뿐이다. 시주는 자식의 자리이지만 성별과 인원수를 제한하지 않는다. 그 뿐만 아니라 시주에는 배우자의 자리가 따로 정해져 있지 않다. 그래서 쌍둥이 사주는 시주 자리의 시간(時干)을 형으로 간명하고, 시지(時支)를 동생으로 간명하면 된다. 결국 쌍둥이도 누군가의 자식으로 볼 수 있기 때문이고, 그런 의미에서 시주의 자리를 이용하는 것이 적합하다고 주장한다.

그렇다면 쌍둥이의 자식들은 어떻게 간명하느냐? 라는 의문이 생길 것이다. 그때는 육친관계를 살피는 것이다. 남자에게 관성이 자식이고, 여자에게 식상이 자식이다. 사주팔자 내에 있는 관성과 식상의 상태를 살펴보면 된다. 그러니까 사주팔자에서 시주의 자리는 년주나 월주 그리고 일주처럼 기능이 고정된 자리가 아니고, 유동적인 자리가 되는 것이다.

시주 간명법의 장점은 일란성 쌍둥이뿐만 아니라 다란성 쌍둥이의 간명까지 논리의 확장이 가능하고, 태어난 사주를 그대로 활용할 수 있어서 합리적이다. 그리고 시주간명법은 時干과 時支를 기준으로 형(언니)과 동생을 구분해서 간명한다. 그래서 사주를 보는 관법이 다른 간명법에 비해 간편하다. 특히 인간의 운명을 예측하고 길흉을 판단하는 등 사주를 해석하는 데 있어서 다른 간명법 보다 적중률이 높다는 장점이 있다.

최근에는 대부분 제왕 수술로 인하여 1분 안에 다란성 쌍둥이가 태어나고 있다. 그리고 출생 횟수도 증가하는 실정이고, 5명의 다란성 쌍둥이가 출생하는 사례도 있었다. 따라서 다란성 쌍둥이의 사주를 풀이할 수 있는 시주간명법에 관한 연구가 시급하다고 생각한다. 시주간명법은 같은 시간에 태어난 성별이 같은 일란성 쌍둥이의 사주를 풀이하는데 효율적이다. 그리고 더 나아가서 다란성 쌍둥이의 간명에도 효율적이라고 생각한다. 성별이 다른 이란성 쌍둥이나 태어난 시간이 각각 다른 일란성 쌍둥이의 간명에는 시주간명법을 활용할 필요가 없음을 밝힌다. 왜냐하면 성별이 다른 이란성 쌍둥이는 단생아와 다를 바 없이 일간을 이용하여 간명을 하면 되고, 태어난 시간이 각각 다른 쌍둥이는 각자의 태어난 시간을 적용하여 간명을 하면 되기 때문이다. 다음은 시주간명법의 구체적인 쌍둥이 사주의 명조 구성법에 대해서 논술하고자 한다.

① 일란성 쌍둥이의 명조 구성법

시주간명법은 성별이 같은 일란성 쌍둥이의 사주를 풀이하는 것을 주된 대상으로 한다. 그리고 시주에서 시간을 형(언니)으로 보고, 시지를 동생으로 보아 해석을 한다. 즉 형(언니)은 시간을 체(體)로 보고, 동생은 시지를 체(體)로 보는 것이다. 그리고 형(언니)은 천간을 중요시해서 살펴봐야 하고, 동생은 지지를 중요시해서 살펴봐야 한다. 대운을 보는 법도 시간의 형(언니)은 운간(運干)을 위주로 살펴야 하고, 동생은 운지(運支)를 위주로 살펴서 간명해야 한다. 다음은 구체적인 쌍둥이 사주의 명조 구성법을 표로 작성해서 설명하고자 한다. 표3과 같이 자식궁인 시주의 자리에서 時干을 형이나 언니로 간주하여 사주를 구성하고, 時支를 동생으로 간주하여 사주를 구성한다.

<표 2> 일란성 쌍둥이 사주 명조 구성표

형(언니)	일주(일간)	월주(월간)	년주(년간)
동 생	배우자궁	부모궁	조상궁

쌍둥이의 종류 중에서 일란성 쌍둥이의 사주를 가장 많이 접하게 되는데, 먼저 쌍둥이의 성격을 분석할 때는 時干의 오행이나 육친을 참고하여 형(언니)의 성격을 파악하고, 時支의 오행이나 육친으로는 동생의 성격을 분석할 수 있다. 또한 사주팔자의 전체적인 면을 살펴서 양팔통의 사주라면 쌍둥이 형제 모두 외향성이 강할 것이고, 음팔통의 사주라면 모두 침착한 성향으로써 일반인의 사주와 크게 다르지 않을 것이다.

그리고 時干은 합과 충의 관계를 잘 살펴야 하고, 時支는 형,충,회,합의 관계를 잘 살펴야 한다. 물론 형(언니)과 동생의 부귀빈천과 길흉화복과 같은 운명에 대해서는 사주팔자를 전체적으로 살펴서 분석해야 할 것이다.

② 성별이 혼재한 다란성 쌍둥이의 명조 구성법

시주간명법은 성별이 같은 일란성 쌍둥이 사주의 간명을 주된 대상으로 한다. 그럼에도 불구하고 3인 이상의 다란성 쌍둥이의 사주에도 확장하여 활용할 수가 있다고 생각한다. 그런데 다란성 쌍둥이는 국내에 극소수에 불과하다. 따라서 논자는 3인 이상의 쌍둥이 사주를 직접 임상해 볼 수 있는 기회가 없었다. 그래서 실제 사례를 분석한 결과를 가지고 이 이론을 주장하는 것이 아니라는 것을 미리 밝힌다. 즉 다란성 쌍둥이의 사주를 임상해 본 사례가 없으므로 명리원전의 이론과 명리학자들을 통한 면접 조사의 내용을 밑바탕으로 삼아 다란성 쌍둥이의 이론을 주장할 뿐이다.

논자는 성별이 혼재한 다란성 쌍둥이 사주를 간명할 때 남자 쌍둥이의 경우에는 형과 동생을 구별하여 時干을 형으로 간명하고, 時支를 동생으로 보아 간명을 하면 된다고 생각한다. 그리고 여자는 성별이 다르므로 단생아와 다를 바 없이 일간을 그대로 적용하여 간명하면 된다. 즉, 성별이 달라서 셋째, 둘째, 셋째로 구분하여 지장간의 자리까지 확대해서 사주를 풀이할 필요는 없다고 본다. 왜냐하면 일간의 자리에는 성별이 같은 인격체가 같이 들어갈 수 없을 뿐이지 성별이 다른 하나의 인격체가 들어가는 것은 가능하기 때문이다. 다음은 표로써 성별이 혼재한 3인의 다란성 쌍둥이 사주의 명조 구성법을 설명하고자 한다.

<표 3> 성별이 다른 다란성 쌍둥이 사주 명조 구성(남자2, 여자1)

형	여자 쌍둥이	월주(월간)	년주(년간)
동생	배우자궁	부모궁	조상궁

다란성 쌍둥이가 태어나더라도 성별이 혼재해서 태어난다면 일란성 쌍둥이의 사주를 풀이하는 방법으로 해석하면 된다고 본다. 다만 실증분석을 해 본 사례가 없으므로 적중률을 언급하기는 어려움이 있다.

그리고 동일한 수의 성별이 다른 다란성 쌍둥이의 명조를 구성할 때는 時干을 형과 언니로 구성하고, 時支를 동생과 여동생으로 구성하면 된다고 본다. 즉 남자 2명과 여자 2명의 쌍둥이 명조를 구성할 때는 時干에 형과 언니를 구성하고, 時支에 동생과 여동생이 같이 들어가는 것으로 사주 명조를 구성하면 된다. 동일한 수의 성별이 다른 쌍둥이 사주의 명조 구성은 다음 표와 같다.

<표 4> 동일한 수의 성별이 다른 다란성 쌍둥이 명조 구성(남2, 여2)

형 · 언니	일주(일간)	월주(월간)	년주(년간)
동생·여동생	배우자궁	부모궁	조상궁

시주간명법을 사용하는 이유는 성별이 같은 두 개의 인격체가 일간의 자리에 함께 들어갈 수가 없기 때문이다. 그래서 성별이 같은 쌍둥이의 경우에는 이들이 들어갈 수 있는 자리를 찾아야 한다. 결국 시주를 활용할 수밖에 없다. 따라서 時干을 형과 언니로 보아 간명을 하고, 時支를 동생과 여동생으로 보아 간명하면 된다고 생각한다.

시주의 자리는 성별과 인원수가 정해진 자리가 아니기 때문에 같은 자리에 성별이 다른 형제가 같이 들어가는 것은 간명에 지장이 없다. 왜냐하면 남자와 여자의 대운 적용법과 육친관계가 서로 다르기 때문이다. 그리고 선후 관계는 성별이 같은 경우의 형과 동생, 그리고 언니와 여동생의 태어나는 순서를 구분하여 적용하면 된다고 생각한다. 물론 다란성 쌍둥이에 관한 임상 사례가 없어서 논자가 주장하는 이론에 불과하다는 것을 다시 한번 밝힌다.

③ 성별이 같은 다란성 쌍둥이 명조 구성법

성별이 같은 다란성 쌍둥이에 대해서는 지장간까지 활용을 해야 한다는 것이 시주간명법의 논리이다. 즉 시간을 첫째로 보아 간명하고, 시지를 둘째로 보아 간명하고, 지장간의 여기를 셋째로 보아 간명하고, 중기를 넷째로 보아 간명하고, 정기를 다섯째로 보아 간명하면 된다. 다란성 쌍둥이가 몇 명까지 출생 가능한지에 대한 학설은 발견할 수 없으나 시주간명법을 활용하게 되면 성별이 같은 다섯 명의 쌍둥이까지 사주를 풀이할 수 있다. 다음은 성별이 같은 다란성 쌍둥이의 명조 구성법을 표로 설명하고자 한다.

<표 5> 성별이 같은 다란성 쌍둥이 명조 구성표

첫째	일주(일간)	월주(월간)	년주(년간)
둘째 여기: 셋째 중기: 넷째 정기: 다섯째	배우자	모친	조모

앞에서도 말했듯이 다란성 쌍둥이의 실증분석 사례는 명리 원전뿐만 아니라 현대의 문헌에도 존재하지 않는다. 저자도 성별이 같은 일란성 쌍둥이나 성별이 다른 이란성 쌍둥이의 사주는 간명해 본 사실이 있으나 3명 이상의 다란성 쌍둥이에 대해서는 지금까지 간명을 해 본 사례가 없다. 따라서 3인 이상의 쌍둥이 사주에 대해서는 충분한 임상을 통해서 간명에 적합한 이론을 도출해야 한다는 것이 상식이다.

그러나 극소수에 불과한 다란성 쌍둥이의 사례를 구할 수도 없고, 그들의 삶을 지켜본다는 것은 더욱 어려운 일이다. 그래서 논자는 명리학자들을 상대로 면담 조사한 내용과 명리원전 그리고 재야의 학자들이 활용하고 있는 간명법을 종합해서 다란성 쌍둥이 사주에 활용이 가능한 시주간명법론의 논리를 주장할 뿐이다.

다란성 쌍둥이에 관한 연구는 제도권 안에 있는 학자들뿐만 아니라 재야의 학자들도 연구한 자료가 없다. 다만 박재완 선생이 時支의 지장간에서 동생은 초기로 보고, 형과 언니는 본기를 위주로 간명했다는 설이 있을 뿐이다. 그리고 실제 다란성 쌍둥이 사주에 대해 경험이 있는 학자들도 특정한 논리를 주장하거나 연구를 진행하지도 않는다. 따라서 본 저서가 다란성 쌍둥이 사주에 관한 초석이 될 수 있길 기대한다.

다음은 선행 연구논문 「쌍둥이 사주 간명에 관한 연구」(홍득기, 대구한의대학교 석사학위논문, 2015)에 나와 있는 14개의 쌍둥이 사주의 간명법을 참고

하여 살펴보겠다. 본 저자가 명리학자들을 상대로 면담 조사한 내용의 간명법과 선행논문에 나와 있는 쌍둥이 사주의 간명법이 모두 중첩되고 있다.

(6) 사주대충법

사주대충법은 가충법, 가충간명법, 이충법, 충사주, 등 다양한 명칭으로 사용되고 있다. 논자는 사주대충법에 관한 이론을 다음과 같이 정리하고자 한다. 대충법은 대합법이 만들어진 이후에 나온 이론으로 추정한다. 대합법이 최초로 인간의 생리적인 현상을 명리학에 도입하여 만들어진 이론이라고 한다면, 대충법은 그 대합법의 이론을 변형시켜서 활용한 이론이다. 그런데 대합법을 적용하면서 다양한 문제가 발생하게 되었다. 즉 월두법이나 시두법에 맞지 않는 조합이 이루어지고 적중률도 낮았다. 그래서 대합법은 쌍둥이 사주의 간명에 비효율적이라는 비판이 제기되었다. 이때 나온 이론이 대충법이라고 한다.

대충법은 모태 안에서 형은 지기인 땅을 보고 있고, 동생은 천기인 하늘을 보고 있다. 라는 대합법의 논리를 정면으로 부정하면서 반대로 해석을 하였다. 대합법에서 말하는 합의 원리는 서로 교접한 상태를 말하는데 모태 안의 태아의 상태는 서로 붙어 있는 상태가 아니라 분리되어 있다는 것이다. 그뿐만 아니라 음양의 논리에 따라서 양(陽)은, 양끼리 음(陰)은 음끼리 서로 충을 하므로 성별이 같은 일란성 쌍둥이는 충의 작용을 한다는 것이다. 따라서 쌍둥이의 사주는 대합법을 적용할 게 아니라 대충법을 활용하여 사주를 풀어야 한다는 논리이다. 결국 대충법도 인간의 생리적인 현상을 명리학에 접목시킨 이론으로써 명리학적 관점과는 거리가 있는 이론이라고 생각한다.

과거에 명리학이 탄생하던 시대에는 모태 안에서 태아가 어떤 상태로 자라고 있는지 알 수 있을 만큼 의학이 발달해 있지 않았다. 따라서 명리학이 만들어진 배경과 전혀 맞지 않는 이론이다. 음은 음끼리 충하고, 양은, 양끼리 충한다. 라는 논리를 태아에게까지 적용하여 사주를 인위적으로 변경시킨다는 점에서 설득력이 없다고 생각한다. 그리고 대충법은 극소수의 학자들이 주장하고 있는 이론에 불과하다. 사주대충법의 쌍둥이 사주 구성은 다음과 같다.

예) 사주가충법에 의한 쌍둥이 사주의 구성(천간충과 지지육충으로 구성)

시 일 월 년   시 일 월 년
壬 乙 戊 壬   丙 辛 甲 丙
午 未 申 寅   子 丑 寅 申
(형의 사주)   ⇒   (동생 사주)

대충법도 대합법과 같이 3명 이상의 다란성 쌍둥이의 사주에는 적용할 수 없다는 문제점이 발생한다. 그리고 대합법과 같이 사주를 인위적으로 만들어서 활용하기 때문에 적중률도 낮다.

(7) 일주시주대충법

일주시주대충법은 사주대충법의 단점을 보충하기 위해서 만들어진 간명법이 아닌가 생각한다. 쌍둥이의 운명이 결혼 이후부터 달라진다는 점에 착안하여 일주와 시주를 변경해서 간명한다. 또한 사주대충법의 경우는 형과 아우의 나이 차이가 너무 심하다. 그래서 이를 보충할 목적으로 일주시주대충법이 만들어졌다고 생각한다. 일주시주대충법은 형의 사주는 태어난 그대로 보면서 동생 사주를 일주와 시주만 천간충과 지지육충으로 변경해서 새로운 사주를 만드는 간명법이다. 일주시주대충법의 이론은 실제 존재하고 있지만 이를 활용하는 학자는 극소수에 불과하다. 일주시주대충법의 사주 명조 구성은 다음과 같다.

예) 일주시주대충법에 의한 쌍둥이 사주의 구성(일주와 시주만 천간충과
지지육충으로 구성)

```
        시 일 월 년                    시 일 월 년
        壬 乙 戊 壬                    丙 辛 戊 壬
        午 未 申 寅                    子 丑 申 寅
        (형의 사주)        ⇒         (동생 사주)
```

(8) 일주대충법

　일주대충법의 원리는 천간충과 지지육충을 이용하여 동생의 사주에서 일주만 변형시키는 구조이다. 일주대합법처럼 연주나 월주 그리고 시주는 굳이 변경할 필요가 없다는 논리이다. 즉 일간이 체(體)이므로 일주만 대충법의 원리를 적용하고, 나머지 궁에 대해서는 태어난 사주를 그대로 간명한다. 따라서 대운의 변동은 없다. 결국 모든 대충법은 학자들이 사주를 인위적으로 만들어서 활용하고, 또한 사실에 대한 적중률이 몹시 낮다는 비판을 면할 수 없는 이론에 불과하다. 일주대충법에 의한 쌍둥이 사주 명조 구성은 다음과 같다.

　예) 일주대충법에 의한 쌍둥이 사주의 구성(일주만 천간충과 지지육충으로
　　　　　　　　　　　　　　구성)

```
        시 일 월 년                    시 일 월 년
        壬 乙 戊 壬                    壬 辛 癸 丁
        午 未 申 寅                    午 丑 巳 亥
        (형의 사주)        ⇒         (동생 사주)
```

(9) 차시법

　다음은 차시법에 대한 이론이다. 임철초의 『滴天髓闡微』 <出身>」편과 서낙오가 주(註)를 단 『窮通寶鑑』 <三冬庚金>에서 서로 시간을 달리하여 태어난 쌍둥이 사주를 각각 다르게 간명했던 사례가 있었는데, 그것은 쌍둥이가 서로 태어난 시간이 각각 달라서 태어난 시간을 그대로 적용하였을 뿐 차시법을 적

용하였던 것이 아니다. 그리고 같은 시간에 태어난 쌍둥이를 차시법으로 간명했던 사례는 명리원전 어디에서도 찾아볼 수가 없었다. 그런데 학자들은 이 부분을 오해하여 차시법을 주장하고 있는 것으로 보인다. 어떤 학자는 쌍둥이 형의 사주를 동생이 태어난 시간보다 한 시각 앞당겨서 간명하고, 어떤 학자는 형이 태어난 다음 시간으로 쌍둥이 동생의 사주를 간명한다. 이와같이 차시법을 주장하는 학자들 간에도 적용하는 방법이 서로 다르다.

　그리고 옛날에는 모두 자연분만으로 출산을 하였기 때문에 태어나는 시간의 간격이 심할 수밖에 없었다. 태어난 시간도 불명확하여 쌍둥이 형과 동생의 시간을 서로 달리해서 적용할 필요가 있었다고 생각한다. 따라서 차시법을 사용했다고 하더라도 오늘날처럼 적중률이 저조하지는 않았을 것으로 생각한다. 왜냐하면 쌍둥이들이 태어나는 시간의 간격이 심했기 때문이다. 그러나 현대에는 의학의 발달로 인하여 1분 안에 4명의 쌍둥이가 태어난 사례도 있다. 따라서 차시법이 무용지물(無用之物)이 될 수밖에 없다고 생각한다. 차시법도 결국 3인 이상의 다란성 쌍둥이에 대한 간명에 대처할 수 없다는 비판을 면하기 어려운 간명법이다. 차시법에 관한 쌍둥이 사주 구성은 다음과 같다.

예) 차시법에 의한 쌍둥이 사주의 구성(동생의 시주를 형이 태어난 다음 시간으로 구성)

시 일 월 년
壬 乙 戊 壬
午 未 申 寅
乙甲癸壬辛庚己
卯寅丑子亥戌酉　(형의 사주)

癸 乙 戊 壬

未 未 申 寅
乙甲癸壬辛庚己
卯寅丑子亥戌酉 (동생 사주)

앞에서 설명하였듯이 차시법의 적용도 학자마다 조금씩 다르다. 차시법을 사용하는 학자들은 대부분 쌍둥이 동생의 사주를 형이 태어난 다음 시간으로 적용하여 간명을 하고 있다. 그러나 어떤 학자들은 쌍둥이 동생의 사주는 태어난 그대로 적용하여 간명을 하고, 형의 사주를 동생이 태어난 시간보다 더 앞당겨서 활용한다. 즉 동생이 癸未 시에 태어났다면 형을 그보다 먼저 태어난 것으로 보아 시간을 앞당겨서 壬午 시로 간명한다. 특별한 이론적 근거나 원리에 의해서 이와 같은 간명법을 사용하는 것이 아니다. 다만 위에서 설명한 명리 원전의 사례를 잘못 해석한 것이 아닌가 생각한다.

(10) 자간정시법

자간정시법(字干定時法)이란 중국에서 사용하는 쌍둥이 사주의 간명법이라고 한다. 그러나 국내의 학자들은 자간정시법에 대해서 잘 모르고 있을 뿐만 아니라 실제 자간정시법을 활용하는 학자를 만나 볼 수도 없었다. 자간정시법의 주된 내용은 쌍둥이 형은 태어난 시간을 그대로 사용하고, 동생의 사주에서 시주의 천간만 형이 태어난 다음 시간의 천간으로 바꾸어서 보는 간명법이다. 즉 시주의 천간을 양간은 양간의 순서에 따라서 甲丙戊庚壬의 순서로 동생의 時干을 다르게 정한다. 그리고 음간은 음간의 순서에 따라서 乙丁己辛癸의 순서로 時干을 달리 적용한다는 논리이다. 그러면서 태어난 시간은 그대로 사용하기 때문에 결국 동생의 사주는 時干만 바뀌게 되는 것이다. 이 논리에 따른다면 다섯 명의 쌍둥이까지 간명을 할 수 있다. 그러나 자간정시법도 사주를 인위적으로 변경한다는 점에서 설득력을 얻기 어렵다. 그뿐만 아니라 자간정시법을 명리학자들이 활용하지 않는 이유는 적중률에 문제가 있기 때문이다. 만약 적중률이 높았다면 이미 재야의 명리학자들을 중심으로 자간정시법이 활성화되었을 것이다.

예) 자간정시법에 의한 쌍둥이 사주의 구성(동생의 사주에서 시주의 천간만
형이 태어난 다음 천간으로 구성)

시 일 월 년　　　　　　시 일 월 년

壬 乙 戊 壬　　　　　　甲 乙 戊 壬

午 未 申 寅 (형)　⇒　午 未 申 寅 (동생 사주)

　자간정시법은 동생의 사주를 시주(時柱)의 천간만 바꾸어 사용한다. 따라서 다섯 명의 쌍둥이까지 간명을 할 수 있는 이론이다. 이처럼 논리의 확장이 어느 정도 가능한 이론임에는 틀림이 없다. 그러나 한날한시에 태어난 쌍둥이의 사주를 형의 사주는 그대로 보면서 동생의 사주를 인위적으로 바꾼다는 점에서 차시법과 크게 다를 게 없다는 비난을 면하기 어렵다. 따라서 자간정시법의 이론은 존재하고 있으나 이를 실제 활용하는 학자는 국내에서 찾아볼 수 없다.

(11) 월주격국간명법

　격국간명법의 종류는 다섯 가지로 분류되어 있다. 그러나 격국간명법을 직접 활용하는 학자는 거의 없는 실정이다. 먼저 월주격국간명법은 월주를 격으로 보는데 월지를 형의 격국으로 보고, 월간을 동생의 격국으로 본다. 즉 격국이론에서는 월지가 중심이므로 우선 형을 월지를 격으로 본다는 논리이다. 다음과 같이 월주격국간명법의 사주 구성의 예를 통해서 설명하겠다.

예) 월주격국간명법에 의한 쌍둥이 사주의 구성(형은 월지가 격이고,
동생은 월간이 격이다.)

시 일 월 년   시 일 월 년
壬 乙 戊 壬   壬 乙 戊 壬
午 未 申 寅   午 未 申 寅
(형의사주, 정관격) ⇒ (동생사주, 정재격)

월주격국간명법은 월지를 형의 격국으로 보고, 월간을 동생의 격국으로 보아 사주를 풀이한다는 논리이다. 그러니까 쌍둥이 형은 단생아의 사주처럼 월지를 그대로 격국으로 보아 간명을 하고, 동생은 월간을 격국으로 본다. 그러나 월주가 간여지동이라면 형과 동생의 격이 같을 수밖에 없다. 그래서 비견, 겁재의 경우에는 격국을 취할 수 없으므로 월간의 자리가 비겁이 될 때는 시간, 연간, 시지, 일지, 연지의 순서로 동생의 격을 바꿔가면서 취한다. 따라서 너무 복잡하고 어려운 이론이라는 비판을 면할 수 없다. 그뿐만 아니라 다란성 쌍둥이에 대한 논리의 확장에도 적용하기 어려운 이론이다. 다만 사주팔자를 인위적으로 변경하지 않고 쌍둥이가 태어난 시간을 그대로 활용하면서 동생의 격을 위치만 달리한다는 특징이 있다. 월주격국간명법은 격국론을 신봉하는 학자들이 만들어 낸 이론이 아닌가 생각한다.

격국간명법의 이론은 실제 존재하고 있지만 이를 직접 활용하는 학자는 찾아볼 수 없었다. 그만큼 복잡하고 어려운 간명법이 격국간명법이다. 특히 여러 궁을 바꿔가면서까지 쌍둥이의 사주를 격국의 논리로 해결하겠다는 것은 그 주장에 무리가 있다고 생각한다. 물론 적중률이 높은 이론이라면 어떤 어려움도 감수해야겠지만 적중률을 장담할 수 없는 이론이다. 다음은 월주격국간명법에 의한 쌍둥이 사주의 격을 어떻게 구성하는지 직접 표를 그려서 살펴보고자 한다.

<표 6> 월주격국간명법의 취격순서

時	日	月	年
3		2	4
5	6	1	7

　명리학에 있어 격국론의 중요성은 특별히 설명할 필요 없이 명리학의 중추를 이루고 있는 학문이다. 대부분의 사주명리 학자들이 격국론을 활용하고 있기 때문이다. 따라서 월주격국간명법도 격국론의 중요성을 인식하고 있는 학자들이 주장하는 이론이라고 생각한다. 그러나 비견과 겁재를 취격할 수 없을 때 위 표의 순서(1-7번)에 따라서 쌍둥이의 격을 취한다는 논리인데, 구체적으로 쌍둥이 형의 격을 취한다는 것인지, 아니면 동생의 격을 취한다는 것인지에 대한 설명이 없다. 다만 비견, 겁재의 경우에는 격을 취할 수 없으니 1번의 자리가 비겁 일 때 쌍둥이 형의 격은 그대로 취하고 동생의 격만 2번의 자리에서 3번의 자리로 이동하면서 취한다는 논리로 해석해 볼 수 있다. 몹시 어렵고 복잡한 간명법이다. 이에 관련된 논문이나 문헌이 존재하지 않고 이를 활용하는 학자도 없으므로 이해에 많은 혼란을 초래할 수 있는 이론이다.

(12) 월지시지격국간명법

　월지시지격국간명법은 월지를 형의 격국으로 보아 간명하고, 시지를 동생의 격국으로 보아 간명한다는 이론이다. 즉 일간을 체(體)로 보고, 용(用)을 부모궁과 자식궁으로 나누어서 본다는 논리이다. 같은 날 같은 시간에 태어난 쌍둥이가 부모궁과 자식궁으로 갈라지는 형국이다. 결국 월주격국간명법이나 월지시지격국간명법은 다란성 쌍둥이의 사주에는 적용할 수 없는 이론이다. 이러한 이유에서 격국론의 원리를 이용하는 이론이지만 설득력을 얻기 어렵다. 다음은 월지시지격국간명법에 의한 쌍둥이 사주의 구성을 살펴보겠다.

예) 월지시지격국간명법에 의한 쌍둥이 사주의 구성(형은 월지가 격이고,
동생은 시지가 격이다.)

시 일 월 년   시 일 월 년
壬 乙 戊 壬   壬 乙 戊 壬
午 未 申 寅   午 未 申 寅
(형의 사주, 월지 정관격)   (동생사주, 시지 식신격)

(13) 월지장간격국간명법

월지장간격국간명법은 월지의 지장간 중에서 본기를 형의 격으로 보고, 중기, 여기, 순으로 동생의 격을 취해서 간명해야 한다는 간명법이다. 이 간명법은 3명까지 간명을 할 수 있는 간명법이다. 그리고 『삼명통회』의 심천(深淺)과 전후(前後)라는 의미를 생각해 볼 때 굳이 월간과 월지를 제외하고, 월지장간에서 형과 동생의 순서를 정하여 간명을 해야 하는지 의문이다. 즉 명확한 근거나 논리를 제시하지 못하는 이론이다. 그리고 이 간명법도 4명 이상의 쌍둥이에게는 적용할 수 없는 이론이다. 월지장간격국간명법에 의한 쌍둥이 사주의 격의 구성은 다음과 같다.

예) 월지장간격국간명법에 의한 쌍둥이 사주의 구성(형은 본기, 동생은 다음
당령)

시 일 월 년
壬 乙 戊 壬
午 未 申 寅
戊 (여기, 셋째의 격)

壬 (중기, 둘재의 격)

庚 (정기, 첫째의 격)

(14) 시주격국간명법

시주격국간명법은 시주의 시간을 형의 격국으로 보고, 시지를 동생의 격국으로 보아서 간명을 한다. 즉 체(體)는 일간을 그대로 보고, 용(用)을 시주로 본다. 시주를 쌍둥이 사주에 활용한다는 점에서 논자가 중점적으로 연구하고 있는 시주간명법과 일부 유사한 점이 있다. 그러나 시주격국간명법은 쌍둥이의 성격을 분석하는 면에서 시주간명법과 크게 다른 점이 있다. 시주간명법은 시주 자체를 쌍둥이 형제의 체(體)로 본다. 따라서 두 이론은 분명한 차이가 있는 이론이다. 그러함에도 불구하고 시주를 격국으로 사용하기 때문에 사실관계에 일부 부합한 면이 있을 가능성이 크다. 논자가 직접 사례분석을 통해서 두 이론의 유사성과 차이점을 밝혀 볼 생각이다. 시주격국간명법에 의한 쌍둥이 사주의 구성은 다음과 같다.

예) 시주격국간명법에 의한 쌍둥이 사주의 구성(형은 시간이 격이고,
동생은 시지가 격이된다.)

시 일 월 년	시 일 월 년
壬 乙 戊 壬	壬 乙 戊 壬
午 未 申 寅	午 未 申 寅
(형의사주, 시간 인수격)	(동생사주, 시지 식신격)

(15) 시지지장간격국간명법

시지 지장간격국간명법은 시지의 지장간에서 당령자를 형으로 보고, 동생은 다음 당령으로 간명을 한다. 월지지장간격국간명법과 사주의 구성이

비슷하지만 서로 궁이 다르다는 점에서 차이점이 발생한다. 이 간명법은 도계(陶溪) 박재완 선생이 사용하던 간명법이다. 물론 이 간명법도 이론적 근거나 명문화된 문헌은 존재하지 않는다. 그리고 『삼명통회』의 심천(深淺)과 전후(前後)라는 의미를 생각해 볼 때 굳이 지장간의 정기부터 활용해야 하는지 납득(納得)하기 어렵다. 즉 시지의 지장간을 활용하려면 여기, 중기, 정기, 순으로 적용해도 된다. 그러나 박재완 선생은 정기부터 중기, 여기, 순으로 거슬러 올라가는 간명법을 사용한 것이다. 따라서 심천(深淺)의 의미와 거리가 있다. 시지지장간격국간명법에 의한 쌍둥이 사주의 구성은 다음과 같다.

예) 월지장간격국간명법에 의한 쌍둥이 사주의 구성(형은 본기, 동생은 다음 당령)

시 일 월 년

壬 乙 戊 壬

午 未 申 寅

丙 (여기, 셋째의 격)

己 (중기, 둘재의 격)

丁 (정기, 첫째의 격)

시지지장간격국간명법은 3명의 쌍둥이까지 간명을 할 수 있다. 그리고 논자가 연구하는 시지지장간간명법 이론과 일부 유사한 면도 있다. 논자는 여기를 중심으로 중기, 정기, 순으로 형과 동생의 순서를 정한다. 따라서 형과 동생을 정하는 순서만 다를 뿐이다. 도계(陶溪) 박재완 선생은 쌍둥이 사주 간명법에 관한 이론을 문헌으로 남기지는 않았다. 다만 한국경제신문과 대담한 자료가 남아 있을 뿐이다. 그래서 박재완 선생의 구체적인 쌍둥이 간명법에 대해서는 알 수 없다. 다음은 박재완 선생이 쌍둥이 사주와 관련하여 한국경제신문과 대담하였던 내용이다.

　"젊었을 때 한번은 강릉의 어떤 여관에 들었는데 나를 시험해 볼 생각으로 어떤 쌍둥이 형제의 사주를 누가 가지고 왔어요. 乙酉, 丙戌, 甲申, 辛未 이렇게 된 사주였어요. 시간을 물어보니 쌍둥이 형은 2시 28분이고, 동생은 2시 31분에 태어났다는 것이었어요. 지장간에 보면 선동은 未 가운데 己土가 들어 있고, 후동은 같은 未이지만 丁火가 들어 있거든요. 형과 아우는 둘 다 귀한 자리에 오르겠으나 형은 상처(喪妻)하고 무자손(無子孫) 하며, 아우는 부부해로(夫婦偕老)하고 3형제를 두었다고 답해 줬지요. 젊었을 때는 이렇게까지도 맞힌 일이 있어요. 나중에 알고 보니 형의 이름은 이동호라고 했고, 아우는 이동민이라고 둘 다 일본서 대학을 나오고 법관 노릇을 하는 분들이었어요."<출처 : 한국경제신문, 1990.4.29. 서재한담, 강위석 논설위원>

　도계 박재완 선생의 쌍둥이 사주와 관련된 자료는 위 대담자료가 전부이다. 이 자료 외에 쌍둥이와 관련된 다른 자료를 논자는 찾을 수가 없었다. 그리고 일부 학자들의 주장은 乙酉생(1945년생)의 경우 만세력에서 위와 같은 사주 명조가 나올 수 없다고 한다. 즉 사주 명조의 착오나 오기를 주장하는 학자들도 있다. 따라서 이 명조(乙酉, 丙戌, 甲申, 辛未)만 가지고서는 박재완 선생이 어떻게 간명했는지 확인할 방법이 없다.

2) 본 저자의 시지지장간간명법(時支地藏干看命法)

　현재 재야에서 통용되는 쌍둥이 사주의 간명 이론은 특정 이론으로 획일화되지 못하는 상황이다. 물론 쌍둥이에 관한 모든 이론은 같은 날 같은 부모로부터 같은 시간에 태어난 쌍둥이의 운명이 서로 다른 점에 대해서 그 원인을 분석하고자 하는 노력의 결과임이 틀림없다.

　그런 점에서 다양한 접근과 해석의 방식이 활용되는 것은 긍정적으로 평가할 수 있다고 본다. 그리고 모든 학문은 수많은 절차와 단계라는 발전과정을 거쳐서 완성되는 것이다. 따라서 재야에서 통용되는 수많은 쌍둥이 사주의 간명 이론은 학문의 발전과정으로 생각해 볼 때 연구의 가치로서 충분하다고 생각한다.

그러나 이러한 간명법이 얼마나 정확성을 높일 수 있는가? 하는 부분과 학문적 이론의 체계성과 완결성을 갖추고 있는가? 하는 점이 문제이다. 현재 재야에서 통용되는 쌍둥이 사주의 간명 이론은 그 어디에서도 각 이론의 근거나 원천을 찾아볼 수가 없다.

그리고 각 이론의 설득력을 높이기 위해서는 이를 뒷받침하는 이론적 근거의 정당성과 충분성이 담보되어야 한다. 그런데 재야에서 통용되는 쌍둥이 사주의 통용 이론은 인간의 미세한 생리적인 현상이라는 비과학적인 방법까지 동원한 것으로 확인되었다. 물론 쌍둥이 사주에 접근하기 위한 노력의 흔적이라는 점은 동의한다. 그러나 각 이론이 주장하는 정당성이나 이론적 근거에 대한 충분한 보완이 없는 상태에서 이들의 이론을 아무런 검증 없이 학문으로 인정하기는 어렵다고 생각한다.

따라서 논자는 쌍둥이 사주의 이론적 근거로 『三命通會』와 『滴天髓』의 이론을 제시하고자 한다. 다음은 논자가 연구하는 이론에 대한 근거를 명확히 제시하고자 하는 의미에서 이미 전항(본 논문 15쪽)에서 살펴보았던 『三命通會』의 쌍둥이 사주에 관한 이론을 다시 인용하고자 한다.

"우연히 동시에 한 어머니에게서 태어나면 어떻게 귀천과 영고(榮枯)를 구별합니까?"하고 물으니 대답하길, 무릇 1시에는 8각 12분이 있어서 (그 시각의) 심천(深淺)과 전후(前後)가 있으므로 길흉이 똑같지는 않다. 동시에 한 엄마에게서 태어나면 반드시 그 시각의 심천과 日時의 음양을 분별해야 한다. 만약 陽 일시면 형이 뛰어나고 陰 일시면 아우가 뛰어나다. 시각이 얕으면 先時의 기운을 차지하고, 깊으면 後時의 기운을 차지한다."

위 인용문에서 "1시에는 8각 12분이 있어서 심천(深淺)과 전후(前後)가 있으므로 길흉이 똑같지 않다."라는 의미는 보는 사람에 따라 해석에 차이가 생길 수 있다. 그러나 1時는 8刻 120분(2시간)으로 구성된다. 따라서 1刻은 15분에 해당하고, 分은 1刻 15분 중에서 차지하는 비율을 말한다. 즉 쌍둥이가 태어나는 시간이 서로 다르다는 뜻이다. 그래서 운명도 서로 다르게 살아가는 것이다.

그리고 "심천(深淺)과 전후(前後)가 있으므로 길흉이 똑같지 않다."라는 의미도 보는 사람에 따라 해석이 달라질 수 있다. 그러나 논자의 주장은 심천(深淺)은 깊음과 얕음을 뜻하는 것이고, 전후(前後)는 앞에 나온 사람과 뒤에 나온 사람을 뜻하는 것으로 해석한다. 즉 형과 동생을 뜻하는 의미이다.

과거에는 어느 쌍둥이가 먼저 태어났는지 기록하는 도구가 실용화되지 않았기 때문에 쌍둥이 형과 동생이 뒤바뀌거나 어느 쌍둥이가 먼저 태어났는지 기억하는 게 쉽지 않았을 것으로 추정한다. 그래서 쌍둥이의 운명을 알기 위해서는 반드시 전후(前後)를 기억해야 할 필요가 있었던 것으로 추정한다. 즉 형과 동생을 구별하는 것이 먼저다.

심천(深淺)의 뜻은 깊음과 얕음인데 어디를 기준으로 깊이를 보느냐의 문제가 생긴다. 논자는 시지의 지장간을 기준으로 본다. 왜냐하면 쌍둥이의 운명이 다른 이유는 태어나는 시간이 다르기 때문이라고 했다. 따라서 쌍둥이가 태어나는 시간과 관련이 있는 時柱를 우선 활용할 필요가 있다. 그리고 심천(深淺)은 결국 지장간의 깊이를 뜻하는 것이다.

"시각이 얕으면 先時의 기운을 차지하고, 깊으면 後時의 기운을 차지한다."라는 의미는 빨리 태어나는 쌍둥이는 형의 기운으로서 지장간의 여기를 뜻하고, 늦게 태어난 쌍둥이는 중기와 정기로서 더 깊게 보아야 한다는 뜻으로 해석하고자 한다.

이와같은 이론적 근거는 『적천수(滴天髓)』에도 있다. 이미 살펴보았던 전항(본 논문4쪽)의 내용을 다시 인용하여 살펴보고자 한다.

"같은 사주이면서도 운명이 같지 않은 것에 대해서 명대(明代) 초 유백온이 지은 『적천수(滴天髓)』의 원주(原注)에서는 생시(生時)의 선후(先後), 산천(山川)과 세덕(世德) 차이 등을 같이 궁리해야 한다고 하였다. 즉, 같은 연월일에 태어난 사람이라도 각기 다르게 응하는 것은 마땅히 생시의 선후를 궁구해야 하고, 또 산천과 세덕의 차이를 논해야 한다. 그러면 열이면 아홉은 징험한다. 그중에 징험하지 않는 경우는 단지 이쪽에는 관직이 있는데 저쪽에는 자식이 많고, 이쪽에는 재물이 많은데 저쪽에는 처가 아름다운 것에 불과한 작은 차이뿐이다."

위 인용문에서 "생시(生時)의 선후(先後)"라는 의미는 출생하는 시간의 앞과 뒤를 뜻하고, 형과 동생을 의미한다. 그리고 "산천(山川)과 세덕(世德)의 차이"라는 의미는 풍수나 궁합과도 관련이 있다는 의미로 보인다.

결국 『적천수(滴天髓)』의 인용문을 통해서 확인할 수 있는 사항은 태어난 시간이 달라서 쌍둥이의 운명도 달라진다는 뜻이다. 그렇다면 태어난 시간과 관련이 있는 時柱에서 쌍둥이의 운명이 다름을 찾아야 한다는 과제가 남게 된다. 그래서 일부 학자들은 時柱를 分柱로 나누는 방법을 주장하기도 한다. 그러나 현대 사회에서 쌍둥이가 태어나는 시간의 차이를 생각한다면 그것은 의미가 없는 주장에 불과할 뿐이다. 즉 1분 안에 5명의 쌍둥이가 태어난 사례도 있다. 따라서 쌍둥이의 사주는 태어난 시간을 그대로 적용하되 "심천(深淺)과 전후(前後)"라는 해석에 집중할 필요가 있다고 생각한다. 다음은 표로서 논자가 연구한 쌍둥이 사주에 관한 시지지장간간명법을 설명하고자 한다.

<표 7> 癸巳, 己未, 戊子, 甲寅, 71세 남자.

區分	時		日		月		年		기타
六神	편관		본원		겁재		정재		
天干	甲		戊		己		癸		
地支	寅		子		未		巳		① 격국 : 편관격
六神	편관		정재		겁재		편인		② 신강
支藏干	戊丙甲		壬癸		丁乙己		戊庚丙		③ 공망 : 午未
大運	80	70	60	50	40	30	20	10	④ 대운이 여름에서 봄 으로 흐른다.
	辛	壬	癸	甲	乙	丙	丁	戊	
	亥	子	丑	寅	卯	辰	巳	午	

※ 형은 사업가이고, 동생은 교육공무원으로 그 외 다른 정보는 없음.

논자의 연구한 이론에 의하면, 시지의 지장간 안에 있는 여기 戊土가 형이 된다. 그리고 중기 丙火를 동생으로 본다. 따라서 형과 동생은 같은 일간으로서 戊土의 성향을 같이 가지고 있으나 형은 시지 지장간 안의 여기가 戊土이므로 성향이 변하지 않는다. 그러나 동생은 시지 지장간 안의 중기가 丙火이므로 밝고 급한 면을 동시에 가지게 된다. 그리고 형은 건록격으로서 경쟁력이 있으므로 사업에 이로움이 있는 사주이고, 동생은 인수격이므로 학문과 관련이 있어서 공무원의 직업이 잘 맞는다.

이와같이 논자는 시지의 지장간 안에 있는 여기, 중기, 정기, 순으로 쌍둥이의 사주를 간명한다.

박재완 선생의 쌍둥이 간명법과 논자가 연구한 지장간간명법의 이론은 모두 지장간을 활용한다는 점에서 일부 유사할 수 있으나 논자가 연구하는 시지지장간간명법과 박재완 선생의 간명법에는 분명한 차이가 있다. 왜냐하면 박재완 선생은 정기를 형으로 보고 중기를 동생으로 보기 때문이다. 즉 정기, 중기 여기 순으로 쌍둥이 형제의 순서를 정해서 간명한다.

박재완 선생이 쌍둥이 사주에 관해서 기술한 문헌은 존재하지 않는다. 다만 쌍둥이 사주와 관련해서는 1990. 4. 29. 한국경제신문과의 대담한 내용이 존재할 뿐이다. 그래서 박재완 선생이 지장간을 어떤 방식으로 활용해서 쌍둥이 사주를 해석했는지 확인할 방법은 없다. 다만 時支의 지장간 안에 있는 정기를 형(언니)으로 보면서 격(格)으로 활용했을 것으로 추정할 수 있고, 중기와 여기 순으로 형제를 정해서 격(格)으로 활용했을 것으로 추정할 수 있을 뿐이다.

논자가 현재 연구하는 쌍둥이 사주의 시지지장간간명법은 재야의 학자들이 전혀 사용하지 않는 간명법이다. 논자가 이러한 간명법을 사용하는 근거는 이미 앞에서 밝혔듯이 명리 원전에 근거한 것이다. 즉『三命通會』의 심천과 전후에 관한 해석을 근거로 제시하고자 한다. 그리고 논자의 시지지장간간명법

은 연구 및 시행의 단계에 있으므로 그 효과를 입증하기까지는 많은 시간이
필요할 것으로 생각한다.

3. 새로운 이론에 관한 논점 정리

현재 쌍둥이 사주의 이론은 답보(踏步) 상태에 머물러 있다. 다만 최근에 와서 사주명리학자들의 관심을 받는 두 개의 쌍둥이 사주 간명법 이론이 있을 뿐이다.

첫째 "오주괘(五柱卦)나 육주괘(六柱卦)의 간명법을 만들어서 활용하게 되면 쌍둥이 사주도 간명할 수 있을 것이다."라는 일부 학자들의 주장이 존재한다. 그러니까 사주팔자를 오주 십자나 육주 십이 자를 만들어서 활용하면 그만큼 시간의 간격을 좁힐 수 있다는 뜻이다. 그러나 오주괘와 육주괘를 활용한다고 하더라도 같은 날 같은 시간에 태어나는 쌍둥이의 사주에는 무리가 있다. 즉 의학의 발달로 인해 1분 안에 다수의 쌍둥이가 태어나는 현실 때문이다. 실제 오주괘를 활용하는 재야의 명리학자들도 쌍둥이 사주는 답이 없다면서 그 한계성을 인정하고 있다. 다음은 오주괘 간법에 관한 「쌍둥이 사주 간명에 관한 연구」논문의 내용을 인용하고자 한다.

"오주괘(五柱卦)와 육주괘(六柱卦)를 알아보면 대만의 곽목량(郭木樑)이 팔자시공현괘(八字時空玄卦)라는 오주괘를 창안하였는데 이것이 시주의 시간 120분을 다시 열두 등분하여 10분 단위로 60갑자 열두 개를 다시 만들어 보는 것으로 쌍둥이의 출생시 시간의 차이가 10분 이상이 나면 별개의 오주가 나오므로 간명을 별개로 할 수 있다는 것이다. 그리고 쌍둥이의 형과 동생의 출생 간격이 10분 내외이거나 오주로써 동일 오주가 되면 거기서 다시 분초를 나눈다는 방식이 육주괘가 되는데 육주괘는 한 개 분주인 10분(600초)을 다시 열두 등분으로 나누는데 이렇게 나누면 한 등분이 50초가 되어 50초 단위로 열두 개의 초주(秒柱)로 해서 육주로 간명한다는 것으로써 열의와 발상은 신선하고 좋으나 자기 출생시를 초단위로 기억하는 사람은 거의 없을 것이므로 육주괘 간명은 현실성이 부족해 보인다. 그러나 오주괘는 상당히 현실성이 있고 현재 대만에서도 통용되고, 우리나라에서 2007년에 소개되어 많은 연구와 간명이 이루어지고 있는 것으로 알고 있다. 오주괘는 점(占)을 치는 형식으로 운용되고 있어 쌍둥이 사주 간명에 운용하는 방식은 이번 연구에서 제외하였다. 그러나 많은 연구가 필요한 분야가 될 것이라 예상되며 다음 연구자의 발전된 방법으로 나타나기를 기대한다." 홍득기, 「쌍둥이사주 간명에 관한 연구」, 대구한의대학교 대학원 석사학위논문, 2015. 50쪽.

위와 같이 오주괘 관법은 쌍둥이 사주의 간명법이 아니라 점술학(占術學)이다. 조금 더 세부적으로 기술하자면 약 3개월 전후에 발생할 수 있는 사건, 사고에 대해 예측, 판단할 수 있는 점술일 뿐이다. 따라서 본 연구가 추구하는 방향과 오주괘 관법이라는 점술학은 방향이 서로 다르다. 2007년경 재야의 명리학자들이 오주괘 관법을 대만으로부터 도입하여 현재 활용하고 있다. 오주괘 관법은 아직 대중화가 되지 않은 희소성이 있는 학문으로써 소수의 재야의 학자들을 중심으로 활용이 되고 있을 뿐이다.

그러나 오주괘 관법을 활용하는 학자들도 "쌍둥이의 사주는 해결할 수 없는 영역이다"라고 그 한계성을 인정하고 있다. 오주괘 관법의 주된 내용은 상담자가 득기(得幾)한 시간을 다시 120분으로 나누어서 분주(分柱)를 만든다. 그러면 년,월,일,시,분까지 오주(五柱)가 되는데 이를 활용하여 간명을 한다. 간명의 방식은 자평명리학의 생극제화의 원리를 그대로 이용한다. 간명법이 간단명료하고, 단기적인 길흉화복의 예측이나 성패에 대해 쉽게 결론을 도출해 낼 수 있다.

그러나 인간의 적성이나 직업과 같은 운명을 예측하기에는 무리가 있다. 왜냐하면 운명을 연구하는 명학(命學)이 아니라 순간적으로 어떤 일의 선택과 결정을 추구할 수 있는 점술학이기 때문이다. 그리고 의학의 발달로 인하여 불과 1분 안에 4명의 쌍둥이가 태어난 사례도 있다. 이런 상황에서 오주괘나 육주괘의 간명법은 설득력을 잃을 수밖에 없다. 결국 쌍둥이의 사주는 사주팔자 자체에서 해결 방법을 찾아야 한다고 생각한다.

둘째, 최근에 재야의 학자들이 관심을 가지는 시주간명법 이론이다. 시주간명법은 정확한 시기를 특정할 수 없으나 오래전부터 구전으로 전해 내려오던 쌍둥이 사주의 간명법이다. 시주간명법에 대해서는 전항에서 이미 세부적인 내용을 기술하였다. 따라서 시주간명법 이론에 관한 내용은 생략하고 실제 쌍둥이 사주의 사례를 분석하는 실증분석의 방법으로 실효성 여부를 확인하고자 한다.

결국 현대의 명리학자들은 쌍둥이 사주에 대한 새로운 이론을 제시하지 못하고 있다. 또한 쌍둥이 사주를 연구하는 학자들이 거의 없는 실정이다. 따라서 당분간은 쌍둥이 사주의 새로운 이론을 기대하기 어렵다고 본다. 본 저자는 새로운 이론을 기대하기에 앞서 명리원전의 쌍둥이 이론과 현재 재야에서 사주명리학자들이 활용하고 있는 쌍둥이 사주의 간명법을 정확하게 분석해 보는 것이 중요하다고 생각한다. 명리원전의 이론과 현대의 쌍둥이 사주의 이론을 분석하다 보면 각 이론의 논리적인 면을 발견할 수 있고, 다양한 문제점들도 발견될 것이다. 이것을 토대로 문제점을 개선해 나가는 방식으로 쌍둥이 사주를 해결해야 한다고 생각한다.

지금까지 기술한 쌍둥이 간명법 외에도 사주명리학자 개인이 사용하는 다양한 쌍둥이 사주의 간명법들이 현재 재야에서 활용되고 있다. 즉 '이름이 달라서 쌍둥이의 운명이 다르다. 쌍둥이는 결혼 이후부터 운명이 달라지기 때문에 같은 날 같은 장소에서 결혼해야 서로 비슷한 삶을 살게 된다. 또는 물상론으로 접근해야 한다'라는 등 비과학적인 간명법을 주장하는 명리학자들도 있다. 현대 명리학의 발전을 위해서 굳이 부정적으로 바라볼 필요는 없겠으나 저자는 이러한 논리는 타당하지 않다고 생각한다.

그리고 명리원전뿐만 아니라 현대 사회에 존재하는 다양한 명리 문헌에서도 3명 이상의 다란성 쌍둥이에 대한 언급을 찾아볼 수가 없었다. 과거에는 모두 자연분만으로 쌍둥이가 태어났기 때문에 3명 이상의 다란성 쌍둥이가 태어나기 어려웠을 것으로 보인다. 그러나 현대에 와서는 3명 이상의 다란성 쌍둥이가 자주 출생하고 있다. 최근에 우리나라에서 5명의 쌍둥이가 출생한 사례도 있었다. 그렇다면 같은 시간에 태어난 이들 5명의 쌍둥이에 대해서 어떤 간명법을 적용하여야 효율적으로 사주를 해석할 수 있을지 의문이 들 수밖에 없다. 그러나 현대에 와서도 쌍둥이 사주의 간명법은 정립되지 못한 상태로 갑론을박(甲論乙駁)을 거듭하고 있다. 위와 같이 쌍둥이 사주의 이론은 시대에 따라서 일부 변화하는 모습을 보였으나 크게 발전하지 못하고 현재 답보상태에 머무르고 있다.

제2편

쌍둥이 사주 실무편

Ⅳ. 실증분석

1. 간명의 기준

이상과 같이 명리원전의 쌍둥이 간명 이론과 현대의 쌍둥이 간명법에 관해서 이원화(二元化)하여 분석해 보았다. 명리 원전의 쌍둥이 이론은 차시법, 일간강약간명법(日干強弱看命法), 일간음양간명법(日干陰陽看命法), 여명의 사주에 寅申巳亥가 많으면 쌍둥이를 낳는 기운을 가지고 있다. 라는 등 모두 4가지의 간명법으로 분류할 수 있다.

그리고 현재 재야에서 명리학자들이 사용하고 있는 일란성 쌍둥이 사주의 간명법은 총 16가지로 분류할 수가 있다. 이들 이론에 대하여 이미 앞에서 세부적으로 분석해 보았다.

본 저자는 『三命通會』와 『滴天髓』를 근거로 시지지장간법을 비롯하여 현대의 쌍둥이 간명법 총 16가지를 대상으로 실제 사례분석을 통해서 가장 실효성이 있는 간명법을 도출해 내고자 하였다. 이러한 연구 목적을 수행하기 위한 수단으로 실제 쌍둥이의 사주 33개를 각각의 이론에 대입시켜서 사례분석을 해 보았다. 그 결과 가장 실효성이 있는 쌍둥이 사주 간명법을 도출해 낼 수 있었다.

사례분석의 방법으로는 먼저 25세 이상의 성별이 같은 쌍둥이의 사주 33개를 제시하였다. 그리고 전항에서 열거한 16가지의 간명법을 사용하여 해석해 보았다. 사례에 관한 해석은 형과 동생으로 분류하여 객관적으로 확인된 사항 등을 적용하여 검토하였다. 객관적으로 확인되지 않는 정보에 대해서는 저자의 주관성이 개입될 여지가 있으므로 필요 최소한도로 해석의 범위를 축소하였다.

본 저서의 궁극적인 목적은 쌍둥이의 사주를 직접 분석해서 가장 효율적인 쌍둥이 사주의 간명법을 도출해 내는 것이다. 왜냐하면 그 어떤 문헌에도 쌍둥이 사주에 대한 구체적인 간명법이 명시되어 있지 않기 때문이다. 그리고 재야의 명리학자들도 "쌍둥이 사주는 답이 없다."라고 하면서, 쌍둥이 사주의 한계를 인정하고, 관심을 가지지 않는 경향이 있기 때문이다. 따라서 저자는 다른 방법이 없다고 생각하여 직접 실증분석을 통해서 획일적이고 실용적인 쌍둥이 사주의 간명법을 도출해 내고자 노력하였다.

사주의 해석은 사주명리학자마다 해석의 방법이 달라서 결과에도 차이가 생길 수 있다. 따라서 저자는 최대한의 객관성을 고려하여 명리학자들이 보편적으로 활용하고 있는 격국 용신론과 생극제화의 원리로써 쌍둥이 사주를 간명하였다. 그리고 부수적으로 십이운성론과 신살론 등 일반적으로 명리학자들이 사주 상담에 이용하는 간명의 방법들을 사용하여 해석하였다. 사주 상담은 수학처럼 객관성을 담보할 수 있는 게 아니다. 따라서 실증분석의 결과는 학자마다 다를 수 있으므로 이에 대한 충분한 이해가 필요하다고 본다.

일란성 쌍둥이의 형과 동생의 구별에 대해서도 의학설과 명리학설이 다르다고 한다. 또한 명리학자들도 "세상에 먼저 나오는 아기가 형이고, 나중에 나오는 아기가 동생이 된다"라는 주장과 "세상에 먼저 나오는 아이가 형이 되는 게 아니라 뒤에 나와도 먼저 숨을 쉬어 울음을 터트리는 아이가 형이 된다"라는 서로 다른 주장을 하고 있다. 그러나 대부분 먼저 태어나는 아이가 첫 호흡을 먼저 할 것으로 생각한다. 그리고 태어나는 시간도 잘 기억하기 어려운 실정인데, 첫 호흡을 누가 먼저 했는지를 기억한다는 것은 무리가 있다고 생각한다. 따라서 어느 설을 따르냐의 문제는 그다지 중요하지 않다. 일반적으로 쌍둥이의 형과 동생의 구별은 먼저 태어나는 쌍둥이가 형이 되고, 나중에 태어나는 아이가 동생으로 명명(命名)된다는 것이 불특정다수인의 생각이다. 저자는 지금까지 호흡의 순위에 따라서 형과 동생을 구분하는 쌍둥이를 만나보지 못했다. 본 저서에서 제시하는 쌍둥이 사주의 형제 관계는 모두 태어나는 순서에 따른 것이다. 라고 미리 밝힌다. 굳이 쌍둥이의 형제 관계를 다투겠다고 한다면 본 저자는 삼명통회를 근거로 제시하고자 한다. "심천(深淺)과 전후(前後)가 있으므로 길흉이 똑같지 않다." 여기서 전후의 의미는 먼저 나오고 나중에 나온다는 뜻으로 해석할 수 있다고 본다. 그리고 첫 호흡과 관련된 이론은 명리원전에서 찾아볼 수 없었다.

쌍둥이 사주의 해석을 위한 본 저서의 간명 기준은 고전인 정선명리약언 『精選命理約言』에서 간명하는 방법을 사용하고자 한다. 명대(明代)의 진지린 (陳之遴)은 『精選命理約言』에서 사주를 보는 방법에 대해 큰 법칙을 제시하고 있다. 다만 본 저서는 쌍둥이 사주에 대한 가장 효율적인 간명법을 도출해 내는 게 목적이므로 일간을 중요시하되 시주(時柱)를 위주로 간명을 한다. 따라서 『精選命理約言』에서 제시하는 사주를 보는 방법과 크게 다를 수 있다. 그러나 근본적인 간명의 방법은 생극제화의 원리와 격국용신론을 활용한다는 점에서 『精選命理約言』에서 제시하는 사주 간명법과 크게 다를 바가 없다.

다음은 『精選命理約言』에서 제시하고 있는 사주를 보는 방법에 관한 큰 법칙을 인용한다.

"간명(看命)에 대법(大法)이 있다면 생극(生剋)과 억부(抑扶)에 불과하다. 사주를 배열해 놓고 먼저 일간의 오행이 무엇인가를 살핀다. 월지를 보고 월지가 나를 생하는지 나를 극하는지, 혹은 내가 월지를 생하는지 극하는지를 보는 것이다. 만일 월지의 본기가 천간에 투출하였다면, 예를 들면 寅월에 甲, 午월에 丁이 투출하였다면 그것으로 격(格)을 취한다. 그런데 정관, 식신, 편재, 인격(印格)이면 생조를 받아야 마땅하고 편관, 상관격은 제화(制化)함이 마땅하다. (…)

만일 월지에서 투출하지 않았거나 극을 당하고 있다면 즉 월지를 불용(不用)하는 것으로 다른 간지에서 세력이 가장 왕한 것을 격으로 삼는다. (…) 그러나 합화격 (合化格), 일기양신격(一氣兩神格), 암충암합격(暗沖暗合格)은 이 예(例)에 해당되지 않는다."[1]

보편적으로 일반인의 사주를 풀이하는 방법은 첫째 일간의 오행을 먼저 살핀다. 일간이 명주(命主)로써 오행의 속성에 따라 성격이 드러나기 때문이다. 둘째 월지와 한난조습(寒暖燥濕)을 살핀다. 일간이 태어난 환경과 기후의 변화에 따라 직업이나 생활방식을 예측해 볼 수 있기 때문이다. 셋째 격국을 살피는 것이다. 격국은 명주가 살아가는 수단으로써 부귀빈천을 만들어 가는 환경이 되기 때문이다.

그러나 본 저서는 단생아의 사주가 아니라 쌍둥이의 사주를 연구하는 게 주된 목적이므로 이와 같은 원론적인 논리와 거리가 조금 멀 수 있다는 사실을 밝힌다. 그러함에도 불구하고 모든 사주의 통변은 격국용신론의 이론을 중요시할 수밖에 없는 게 현실이다.

다음은 진지린(陳之潾)이 『精選命理約言』에서 제시한 격국의 취용법과 격국을 정격과 변격으로 구분한 사항에 대해 인용하고자 한다.

"격국을 취격할 때에는 먼저 월지에서 당령(當令)한 것을 취하고, 다음에 득세한 것에서 취한다. 또 일주가 왕한가 약한가를 보거나 官, 殺, 財, 印, 食, 傷의 왕과 약을 판정하는 것도 역시 월령을 먼저 보고 추론하는 것이다."[2]

격국에는 정격(正格)과 변격(變格)이 있으며, 정격은 오행의 당연한 이치에 따른 것으로 정관격, 편관격, 인수격, 재격, 식신격, 상관격이다. 변격 역시 오행의 이치에 따르지만 취용이 다른 것으로 종격(從格), 화격(化格), 일행득기격(一行得

---

1) 陳之潾 著, 韋千里 編著, 『精選命理約言』 卷一, <看命總法一>, "看命大法, 不過生剋扶抑而已, 例下四柱, 先干命日干是何五行, 隨看月支, 或是生我剋我, 或我生我剋, 如月支本氣透於天干, 寅透甲, 午透丁, 即取爲格, 係正官, 偏財, 偏印, 則宜生之助之, 係偏官, 傷官, 則宜制之化之, 若本氣未透遭剋, (……) 若所藏之神, 又不透遭剋, 則不用月支, 而用別干支之勢盛力旺者爲格, (……) 惟合化格, 一氣兩神格, 暗沖暗合格, 不在此例." 香港: 心一堂, 2015, 21-22쪽. (이하 저자와 편저자 생략)

2) 『精選命理約言』 卷二 <格局賦>, "格局先取當令, 此取得勢, 若日主之爲旺爲弱, 官殺財印食傷之爲旺爲弱, 亦先以月令推之." 香港: 心一堂, 2015, 30쪽

氣格), 양신성상격(兩神成象格), 암충격(暗沖格), 암합격(暗合格) 등이 있다."[3]

위 『精選命理約言』의 인용문에 의하면 정격은 6격으로 하고, 음양에 따라서 관과 살 그리고 식상으로 구분하였다. 인수격과 재성 격은 음양을 구분하지 않고, 동일한 격으로 취용하였다. 그리고 비견과 겁재는 격으로 인정하지 않았다. 그러나 심효첨(沈孝瞻)의 『子平眞詮』에서는 "팔자의 용신은 오직 월령에서 구한다."[4]라고 하고, 재성격, 정관격, 인수격, 식신격, 칠살격(偏官格)과 상관격의 육격에다가 양인격과 건록월겁격을 추가하였다. 본 논문은 『精選命理約言』의 6격론과 심효첨(沈孝瞻)이 『子平眞詮』에서 제시하는 8격론을 활용하여 쌍둥이 사주의 사례를 분석하고자 한다. 다만 시주에서 형(언니)과 동생의 격을 취한다는 점에서 차이가 있을 뿐이다.

쌍둥이 사주의 명조(命造)를 수집하는 방법으로는 먼저 단행본 『정선명리학강론』(김만태, 동방문화대학원대학교, 2020)에 나와 있는 쌍둥이 사주의 예제를 인용하였다. 그리고 선행논문 「쌍둥이 사주 간명에 관한 연구」(홍득기, 대구한의대학교 석사학위논문, 2015)에 나와 있는 예제와 저자의 지인들을 통해서 수집한 쌍둥이 사주의 명조를 실증분석으로 활용하였다.

본 저자는 이와 같은 간명의 기준을 원칙으로 내세워서 현재 재야의 학자들이 활용하고 있는 쌍둥이 사주 16개의 간명법에 직접 대입시켜서 분석하였다. 그리고 마침내 몇 가지 원칙을 도출해 낼 수 있었다. 첫째 쌍둥이의 사주도 일반인의 사주와 같이 태어난 사주를 그대로 적용한다. 둘째 쌍둥이는 반드시 서로 같은 점과 다른 점을 가지고 있다. 셋째 서로 동일한 점에 관한 해석은 일주(日柱)를 위주로 하고 다른 점은 시주(時柱)를 우선으로 해석한다. 넷째 시간(時干)을 형으로 보고 시지(時支)를 동생으로 보아 해석한다.

---

3) 『精選命理約言』 卷一 <看格局法>, "格局有正有變, 正者五行之常理也, 曰正官, 曰偏官, 曰印, 曰財, 曰食神, 曰傷官, 變者亦五行之常理, 而取用則異矣, 曰從, 曰化, 曰一行得氣, 曰兩神成象, 曰暗衝, 曰暗合." 香港: 心一堂, 2015, 23쪽

4) 沈孝瞻 原著, 徐樂吾 評註, 『子平眞詮評註』(台北: 進源書局, 2006), 91쪽. "<論用神>, 八字用神 專求月令"

이와 같은 간명법을 시주간명법이라고 한다. 본 저자는 이와 같은 원칙을 근거로 시주간명법을 쌍둥이 사주의 획일적 이론으로 정립하였다. 이미 앞에서 시주간명법에 관한 이론은 설명하였다. 그러나 시주간명법을 어떻게 활용하는지 정확히 이해하고 있는 학자가 없다. 따라서 본 저자가 시주간명법에 관해서 직접 연구한 내용을 사례분석의 방법으로 하나하나 설명하겠다.

2. 쌍둥이 사주 사례분석

사주를 통변하는 방법은 명리학자들 마다 조금씩 다를 수 있으므로 최대한 일반적이고, 객관적인 방식을 활용하고자 한다. 따라서 저자는 사례분석의 기준을 위에서 언급한 것과 같이 『정선명리약언』과 『자평진전』의 격용론을 중심으로 하고자 한다. 즉 자평법의 오행의 생극제화의 원리를 기본바탕으로 삼아 쌍둥이의 사례를 분석해 보겠다. 그리고 십이운성론과 신살론 등을 부수적인 수단으로 삼아 사례를 분석하고자 한다.[5]

십이운성론에 관한 이론은 『자평진전』<논처자> 편에서 이미 활용되었던 사실을 확인할 수 있었다. 물론 구체적인 간명법에 관해서 거론하는 것은 아니지만 쌍둥이라는 말이 언급되었다는 사실 자체로써 십이운성론의 활용도를 충분히 인식할 수 있다고 본다. 그러니까 사주학의 시초부터 12운성의 이론은 존재하였고 사주 간명에 활용되었을 것으로 추정한다. 다음은 『자평진전』<논처자>편에 나와 있는 내용 일부를 인용한다.

"자식에 이르면. 그것은 궁위로 살피고 더불어 자식별이 투간된 희기를 보는데 이치는 처를 논하는 것과 대략 같다. 다만 자식을 볼 때는 장생목욕의 노래도 마땅히 숙독해야 한다. 예컨대 장생이면 자식이 넷인데 중순 이후이면 절반이고, **목욕이면 한 쌍둥이로서 길상을 보존하며**, 관대와 임관이면 3명의 자식 자리이고, 제왕이면 5명의 자식이 저절로 실현되며, 衰이면 자식이 2명, 病이면 자식이

---

5) 「생명윤리 및 안전에 관한 법률」 시행규칙 제13조에 의하면 '인간대상연구'일지라도 "취약한 환경에 있는 연구대상자를 포함하지 아니하고 일반 대중에게 공개된 정보를 이용하는 연구 또는 개인 식별정보를 수집·기록하지 않는 연구로서, (……) 연구대상자 등이 불특정하며, 「개인정보보호법」 제23조에 따른 민감정보를 수집하거나 기록하지 않는 연구"는 기관생명윤리위원회(IRB, Institutional Review Board)의 심의를 면제한다고 명시되어있다. 본 연구에 포함된 쌍둥이 사주의 사례도 성별과 생년월일시만 연구에 활용했으며 이들이 누구인지 특정할 수 있는 개인 신상·식별정보는 전혀 포함되거나 공개·기록·수집하지 않았다. 그리고 본 논문과 관련해 대학에 IRB심의를 신청하였으며, 이와 관련해 생명윤리에 관한 법률에 의거하여 면제 대상이라는 답변을 받았다.(2022.3월5일)

1명, 死이면 늙을 때까지 아이가 없으니 오직 남의 자식을 양육하여 취하고, 墓이면 자식이 일찍 죽으며, 수기(受氣)는 절(絶)이 되는데 자식이 1명이고, 胎이면 첫째로 딸을 양육하며, 養이면 세 명의 자식 중 하나만 남으니, 남녀의 자리 중 자식을 자세히 보아야 한다는 것이다.6)

이와 같이 쌍둥이 사주의 간명법은 12운성론과 자평법의 오행의 생극제화의 원리를 근원으로 한다. 그리고 쌍둥이는 반드시 서로 같은 점과 서로 다른 특징을 가지고 있다. 즉 쌍둥이는 공통점과 차이점을 안고 살아가게 되는 데 차이점으로 인해서 운명이 달라지는 것이다. 따라서 쌍둥이의 사주를 간명할 때는 먼저 같은 점이 무엇인지, 분석한 후 서로 다른 점에 관해서 살펴봐야 한다.

위에서는 단순히 쉬운 용어를 사용할 생각으로 공통점과 차이점이라는 단어를 사용하게 되었다. 그런데 공통점이라는 말을 구체적으로 설명한다면 먼저 사주가 같고 육친관계가 같아서 서로 관련되는 사항이 많다는 뜻이다. 그리고 차이점이란 서로의 관계에서 극단적으로 달라지는 운이 존재할 수 있다는 사실을 말한다. 그러니까 쌍둥이는 가장 먼저 형(언니)과 동생이라는 관계가 형성된다. 이를 사주의 용어로 표현하자면 비견과 겁재가 되는 것이다. 그래서 비견의 운과 겁재의 운을 먼저 살펴보면 쌍둥이가 서로 유정할지 아니면 무정할지 알 수 있다는 뜻이다.

일반인의 사주를 분석할 때도 형제의 관계를 분석할 때는 12운성론을 활용한다. 예를 들어 비겁의 운이 절궁절좌의 형국이라면 형제의 덕을 보기 어려울 것이다. 반대로 비겁의 운이 록궁록좌의 형국이라고 한다면 형제가 모두 잘 성장하고, 서로의 덕을 기대할 수 있을 것이다. 이런 관계가 쌍둥이 형제에

---

6) 『子平眞詮評註』(台北: 進源書局, 2006), <論妻子>, "至於子息, 其看宮分與看子星所透喜忌, 理與論妻略同, 但看子息, 長生沐浴之歌, 亦當熟讀, 如長生四子中旬半, 沐浴一雙保吉祥, 冠帶臨官三子位, 旺中五子自成行, 衰中二子, 病中一, 死中至老沒兒郎, 除非養取他之子, 入墓之時命夭亡, 受氣爲絶一個子, 胎中頭産養姑娘, 養中三子只留一, 男女宮中子細詳是也."

게는 더욱 밀접하게 작용하는 것이다. 왜냐하면 일반 형제의 경우 같은 부모에게 태어나더라도 충분한 시간의 차이가 생기지만 쌍둥이는 같은 날 같은 시간에 한 몸처럼 태어나기 때문이다.

그래서 쌍둥이의 사주는 서로의 관련성을 먼저 분석해 봐야 한다. 이와 같은 관련성을 본 저자는 공통점이라는 용어를 사용하고자 한다. 서로의 관련성을 분석하는 방법은 일주를 활용하는 것이다. 왜냐하면 사주에서 일간은 주체가 된다. 다만 쌍둥이는 두 개의 인격체이기 때문에 같이 들어갈 수가 없을 뿐이다. 그럼에도 불구하고 일주의 영향력은 존재한다. 그래서 일주를 중심으로 12운성을 활용해서 쌍둥이의 관계를 먼저 확인해 보는 것이다. 그렇다면 쌍둥이의 공통점이 무엇이고 서로 다른 점은 무엇인지 구체적으로 살펴보도록 하겠다.

공통점은 첫째, 서로 부모, 형제, 자매가 같다. 둘째 태어날 때의 시간적 공간적 환경이 같다. 물론 자연분만의 경우 시간적, 공간적으로 태어나는 모습이 서로 다를 수도 있겠지만 본 저서에서 논하고자 하는 대상은 같은 시간에 태어나는 쌍둥이의 사주이다.

공통점에 관한 분석은 일반인의 사주와 같이 일간을 중심으로 통변 한다. 다만 팔자의 천간을 형(언니)의 命으로 보고, 팔자의 지지를 동생의 命으로 본다. 쉽게 말해서 쌍둥이는 천간의 신(神)들이 형(언니)의 운명이고, 지지의 신(神)들이 동생의 운명이므로 시기별 운명의 분석도 천간과 지지로 나누어서 보는 것이다.

일간을 중심으로 쌍둥이의 운명을 가늠해 보는 방법은 극히 제한적이다. 왜냐하면 쌍둥이는 공통점 보다 살아가는 과정에서 서로 달라지는 차이점이 훨씬 크기 때문이다. 그래서 일지를 중심으로 쌍둥이 사주를 간명할 때는 일지의 지장간을 12운성의 좌법과 인종법을 활용해서 풀이해 보거나 결혼 전까지의 육친관계를 근묘화실의 간명법 정도로 살펴보는 정도에 그쳐야 한다.

다른점은 첫째, 지능과 신체적인 능력이 다르다. 즉 비슷하면서 다르다는 뜻이다. 둘째, 살아가는 시간과 공간이 다르다. 셋째, 인간관계가 달라진다. 이뿐만 아니라 다양한 면에서 서로의 차이점이 발생하게 된다. 따라서 쌍둥이의 사주를 분석할 때는 이러한 사항을 먼저 인식할 필요가 있다. 그리고 다른점에 관한 분석은 시주를 기준으로 한다. 즉 시간을 형(언니)으로 보고, 시지를 동생으로 본다. 따라서 형(언니)의 운명을 간명할 때는 시간을 기준으로 육친관계를 살펴보고, 대운이나 세운의 관계도 시간을 기준으로 운간(運干)과의 육친관계를 설정해서 분석해야 한다. 반대로 쌍둥이 동생의 운명은 시지를 기준으로 육친관계를 살펴보고, 대운이나 세운의 관계도 시지를 기준으로 운지(運支)와의 육친관계를 설정해서 분석해야 한다.

그렇다면 이러한 간명법이 어디에서 나왔느냐? 라는 의문이 들것이다. 이미 이론 편에서 쌍둥이에 관한 이론을 모두 분석해 보았다. 그런데 이와 같은 논리를 주장하는 이론은 전혀 찾아볼 수 없었다. 물론 시주간명법 이론에서 시간을 형(언니)으로 분석하고, 시지를 동생으로 분석한다는 주장이 이미 존재하고 있었다는 점은 분명하다. 그러나 쌍둥이 사주의 공통점과 차이점에 관한 논리를 주장하는 이론은 전혀 찾아볼 수 없었다. 그래서 전혀 근거가 없는 주장이라고 할 수도 있다. 그런데 본 저자가 수년 동안 쌍둥이의 사주를 연구하는 과정에서 실제 임상실험을 여러 차례 거치게 되었고, 명리원전을 비롯하여 현재에 이르기까지 쌍둥이와 관련된 문헌, 사례, 영화, 사건, 사고, 풍설, 등 다양한 경험을 하게 되었다. 그 과정에서 자신만의 독특한 쌍둥이 간명법에 관한 체계를 수립하게 된 것이다.

조금 더 구체적으로 설명한다면 명리원전인 삼명통회에서 이론적 근거를 마련하게 되었고, 그 이론에 관한 연구에 집착하던 과정에서 시주간명법의 실효성을 인정하게 되었다. 그러나 단순히 시주간명법에 관한 이론만으로 쌍둥이 사주를 풀이하기가 쉽지 않다는 사실을 직면하게 되었다. 그래서 12운성론과 관련이 깊다는 사실도 인식하게 된 것이다. 쌍둥이는 반드시 공통적인 요소가 존재할 수밖에 없다. 이것을 분석하는 방법은 단순히 시주간명법 이론만으로는 충분하지 않다. 그래서 일주의 중요성을 인정하게 된 것이다. 그 결과 일지의 지장간에 답이 있다는 사실을 최종적으로 확인할 수 있었다. 12운성 이론을 활용해서 일지의 지장간에 있는 육친관계를 좌법과 인종법으로 분석하게 된다면 쌍둥이의 공통요소에 관한 해석은 그다지 어렵지 않을 것이다. 그리고 쌍둥이는 태어나서 결혼 전까지의 운명은 주로 부모와 관련이 깊다. 그래서 초년의 시절에는 일반인의 사주를 분석하는 것같이 일간을 기준으로 간명하는 방법이 효율적이다. 물론 천간과 지지를 형(언니)와 동생의 관계로 나누어서 분석해야 한다. 본 저자는 이러한 간명법에 관한 이론의 체계에 관해서 특정한 명칭을 부여하고 싶은 생각은 없다. 다만 시주간명법 이론의 발전된 형태 정도로 이해하면 좋겠다.

그리고 대운을 보는 방법도 학설에 따라 달라진다. 즉 천간 5년, 지지 5년, 또는 천간 3년, 지지 7년, 등 다양한 학설이 존재한다. 사실 대운을 보는 방법은 원칙이 없다. 그러나 쌍둥이 사주에서 대운과 세운을 보는 방법은 간단하다. 형(언니)의 대운은 천간으로 들어오고, 동생의 대운은 지지로 들어온다. 무슨 말이냐 하면 운간(運干)은 시간에 해당하는 형(언니)의 기운이고, 운지(運支)는 시지에 해당하는 동생의 기운으로 보면 된다. 물론 이러한 논리가 어떤 문헌이나 이론적 근거로 존재하는 게 아니다. 본 저자가 임상실험을 통해서 확인한 사항이므로 이러한 논리를 받아들이는 문제에 대한 선택은 독자들이 하면 된다.

그러면 일반인의 사주와 쌍둥이 사주를 분석하는 방법의 차이를 생각해 볼 필요가 있다. 일반인의 사주는 일간을 중심으로 월지를 보고 격을 잡는다. 즉 일간이 체(體)가 되고 월지가 용(用)이 되는 것이다.

그러나 쌍둥이 사주는 첫째 일간을 체(體)로 보고, 時柱를 격으로 본다. 즉 時柱의 時干을 형(언니)의 격으로 보고, 時支를 동생의 격으로 본다. 이것이 시주격국간명법이다. 둘째 시주간명법의 논리와 같이 時干을 형(언니)의 체용 (體用)으로 보고, 時支를 동생의 체용(體用)으로 본다.

이처럼 두 가지 방법의 논리를 결합하여 해결해야 하는 게 쌍둥이 사주이다. 그뿐만 아니라 일간의 영향도 크게 작용하므로 일주의 지장간을 12운성의 좌법과 인종법을 사용하여 어떤 상황에 놓여 있는지 먼저 확인해야 한다.

이렇게 글로 설명하니까 복잡한 것처럼 느껴지지만 실제 사용해 보면 일반 인의 사주풀이보다 쉬울 수도 있다. 그러니까 쌍둥이 사주를 아주 쉽게 설명 하자면 첫째 일주의 지장간을 12운성의 좌법과 인종법을 사용하여 어떤 상황 에 놓여 있는지 살펴본다. 즉 공통점을 찾는 것이다. 둘째 시주를 체용으로 보 고 간명하면 되는 것이다. 時干을 형(언니)의 체용으로 보고, 시지를 동생의 체용으로 보면 된다. 즉 쌍둥이의 차이점을 분석하는 것이다. 쌍둥이 사주의 구체적인 간명법에 관해서는 다음과 같이 통변요령을 만들어서 설명하고자 한다.

【통변 요령】

▶ 공통점에 관한 사주의 구성 및 통변은 일주를 기준으로 한다. 공통점에 대한 분석은 일주의 영향력을 무시할 수 없기 때문이다. 따라서 일지의 지장 간을 12운성의 좌법과 인종법을 활용하여 쌍둥이의 공통점을 찾는다. 그리고 소년기와 청년기 때는 부모의 영향력이 크므로 일간을 중심으로 통변한다. 즉 년간에 인성운이 들어온다면 형(언니)는 공부에 유리함이 있을 것이고, 재성운 이 들어온다면 공부에 불리함이 있을 것이다. 만약 년지에 재성운이 들어온다 면 동생이 공부에 불리함이 있을 것이다.

▶ 다른점에 관한 사주의 구성 및 통변은 시주를 기준으로 한다. 다른 점을 분석하는 방법으로는 년간을 형(언니)의 소년기, 월간을 형(언니)의 청년기, 일

간을 형(언니)의 장년기, 시간을 형(언니)의 노년기로 분석하는 것이다. 그리고 년지는 동생의 소년기, 월지는 동생의 청년기, 일지는 동생의 장년기, 시지는 동생의 노년기에 해당하는 것이다.

시간 형의 命	일간 ←	월간 ←	년간 ←
시지 동생 命	일지 ←	월지 ←	년지 ←

▶ 쌍둥이의 공통점에 대해 사주를 세우는 방법은 일반인의 사주와 같다. 즉 일간을 기준으로 육친의 관계를 설정한다.

▶ 쌍둥이의 다른점에 대해 사주를 세우는 방법은 쌍둥이 형(언니)은 시간 (時干)을 기준으로 세우고, 동생은 시지(時支)를 기준으로 해서 사주를 세운다. 즉 시주를 쌍둥이의 체용(體用)으로 본다.

▶ 성격의 분류는 시간의 오행을 형(언니)의 성향으로 보고, 시지의 오행을 동생의 성향으로 본다. 다만 일간의 성향을 공통적으로 가지면서 시주의 오행 에 따라 서로 성향이 다르게 나타난다. 시주가 어떤 육친의 성향인지 참고하 는 게 좋다.

▶ 사주에서 천간의 신(神)이 형(언니)가 되는 것이고, 지지의 신(神)이 동생 이 되는 것이다. 즉 년간, 월간, 일간, 시간은 형(언니)이 되고, 년지, 월지, 일 지, 시지는 동생이 되는 것이다. 다음은 <예시>를 통해서 쌍둥이의 성격을 분석해 보겠다.

<예시> 丁卯 일주의 언니와 동생의 성격 분석

언니 丙	丁 ←	월간 ←	년간 ←
동생 午	卯 ←	월지 ←	년지 ←

일주가 丁卯이므로 밝고, 명랑하며 내적으로 성급한 면을 공통적으로 가진다. 그런데 언니는 丙火로써 겁재의 성향이 강하고, 동생은 午火로써 비견의 성향이 강하다. 따라서 이들은 서로 공존하기 힘들다. 즉 해와 달은 공존할 수 없는 관계이다.

실제 이들 자매는 서로 만나면 심하게 싸우게 되므로 서로 떨어져 살고 있다. 12운성론의 인종법에 의해서도 비견의 명(命)이 병궁병종의 형상이므로 떨어져 살아야 좋을 수 있는 명이다.

▶ 쌍둥이의 공통점에 관한 분석은 일주의 지장간을 활용하는 게 효율적이다. 즉 12운성론의 좌법과 인종법을 활용하여 통변한다.

▶ 쌍둥이의 다른점에 관한 분석은 천간의 신(神)을 형의 命으로 보고, 지지의 신(神)을 동생의 命으로 본다. 즉 운명의 관계를 살필 때는 형은 천간(년간, 월간, 일간, 시간)을 보아 시기별 길흉관계를 판단하고, 동생은 지지(년지, 월지, 일지, 시지)를 보아 해당하는 시기의 길흉관계를 살핀다. 물론 사주팔자 전체의 육친관계를 살펴서 통변해야 하겠지만 시기별 길흉관계를 판단할 때는 형은 천간을 우선으로 보고 동생은 지지를 우선으로 본다는 뜻이다.

▶ 결혼 전까지의 운명은 일주(日柱)를 기준으로 보는 게 좋고, 결혼 이후에는 시주를 기준으로 분석하는 게 좋다. 즉 근묘화실의 간명법에 의해 초년기와 청년기의 명은 일간을 중심으로 본다.

<예시> 己亥 일주 초년기의 命

시간 (형)	己 ←	월간 ←	丙 ←
시지 (동생)	亥 ←	월지 ←	寅 ←

일간을 기준으로 년간에는 丙火로써 정인이 들어왔다. 따라서 형은 공부를 잘할 수 있는 명이다. 일간을 기준으로 년지에는 寅木으로써 관성이 들어와 있다. 동생은 공부보다 준법정신이 강했다고 볼 수 있다.

실제 이 사례에서 쌍둥이 형은 어렸을 때 공부를 잘했고 동생은 형보다 공부에 소질이 없었다고 한다. 물론 시주의 육친에 따라 영향을 받을 수도 있다. 왜냐하면 시주가 격이 되기도 하기 때문이다. 예를 들어 時干에 인성이 들어와 있으면 인수격이므로 문서나 공부에 유리한 측면이 있고, 만약 재격이라면 공부보다는 재물에 관심이 많을 수 있다.

▶ 행운(幸運)을 적용하는 방법은 운간(運干)을 형(언니)의 대운이나 세운으로 보고, 운지(運支)를 동생의 대운이나 세운으로 보아 시기별로 길흉관계를 판단한다. 주의할 점은 시주를 기준으로 대운과 세운의 관계를 살펴야 한다는 점이다. 일반인의 사주와 같이 일간을 중심으로 육친관계를 설정하게 된다면 통변에 어려움을 겪을 수밖에 없다.

다음은 하나의 사례를 가지고 육친관계를 설정하는 모습을 설명하고자 한다. 시주 중심의 육친관계와 일간 중심의 육친관계를 구분하기 위해 시주 중심의 육친관계에 대해서는 가로의 표시를 하였다. 복잡함을 피할 목적으로 時干의 육친관계는 천간에만 가로로 표시하였고, 時支의 육친관계는 지지에만 가로로 표시를 하였다. 시주를 중심으로 천간과 지지 모두의 육친관계를 설정해서 살펴봐야 쌍둥이의 차이점을 분석할 수 있다.

<예시> 丙子, 丙申, 戊戌, 戊午,(陰) 여명.

時	日	月	年
비견	일원	편인	편인
(아신)	(비견)	(편인)	(편인)
(戊)	戊	丙	丙
(午)	戌	申	子
정인	비견	식신	정재
(아신)	(상관)	(정재)	(편관)
丙己丁	辛丁戊	戊壬庚	壬癸

77	67	57	47	37	27	17	7
戊	己	庚	辛	壬	癸	甲	乙
子	丑	寅	卯	辰	巳	午	未

· **쌍둥이 자매의 공통점 통변**

성격, 전체적인 사주의 구성이 양간으로 되어 있고, 일원이 戊土이다. 따라서 쌍둥이 자매 모두 밝고, 명랑하며 책임감이 강하다.

육친관계, 비견이 묘궁묘좌의 형국이다. 따라서 형제간의 덕을 기대하기는 어려워 보인다. 서로 떨어져 사는 게 좋다. 그리고 부모의 덕도 쌍둥이 형제에게 동일하게 작용한다.

· **쌍둥이 자매의 다른점 통변**

성격, 언니(戊)는 과묵하고 성실하면서 책임감이 강하다. 동생(午)은 겉모습은 언니보다 부드러워 보이지만 폭발적인 면이 있다.

육친관계, 청소년기 때 년간과 월간에 편인이 들어오고, 년지와 월지에 식신이 들어왔다. 따라서 천간을 사용하는 언니는 공부와 관련하여 직업을 선택하는 게 좋다. 그리고 지지를 사용하는 동생은 공부보다 자신의 재능이나 좋아하는 일과 관련하여 직업을 선택하는 게 좋다.

언니(戊)의 命과 관련된 팔자의 천간에는 관성이 없다. 그리고 17 甲午 대운 때 운간에서 편관에 해당하는 甲木이 들어오나 일간의 丙火와 경쟁해야 하는 형국이 형성된다. 그러나 동생(午)의 命과 관련된 팔자의 지지에는 관성이 있다. 즉 년지의 子水가 동생(午)火에게 편관이 된다. 따라서 동생은 일찍 결혼이 가능한 사주이다. 실제 동생은 결혼하였고, 언니는 현재 미혼의 상태이다.

언니(戊)土의 대운은 관성(木) 대운에서 재성(水) 대운으로 흐르고, 동생(午)火의 대운은 비겁(火) 대운에서 인성(木) 대운으로 흐른다. 즉 대운이나 세운의 흐름도 일간 중심이 아니라 시주 중심으로 보고 통변해야 한다.

다음은 31개의 쌍둥이 사례를 직접 분석해 보겠다. 사례에 대한 분석은 저자의 주관성을 배제하고 객관적 사실에 전념하고자 확인된 사실만을 풀이하는 방식으로 진행하겠다. 그리고 일주를 중심으로 분석하는 사항에 관해서는 공통점이라는 용어를 사용하고, 시주를 중심으로 분석하는 내용에 대해서는 차이점이라는 용어를 사용하겠다. 그러니까 일주를 중심으로 십성의 운이 쌍둥이에게 어떤 상황에 놓여 있는지를 살펴보고, 시주를 중심으로 그 운의 작용이 어느 쪽에 길(吉)운이 되고, 흉(凶) 운으로 작용하게 되는지를 살펴보는 것이다.

사례 1' 여, 庚辰, 辛巳, 丁卯, 丙午

區分	時	日	月	年	기타
六神	겁재	본원	편재	정재	① 일간 : 丁火
天干	丙	丁	辛	庚	② 언니는 丙火, 동생은
地支	午	卯	巳	辰	午火
六神	비견	편인	겁재	상관	③ 언니는 대운이 식상
支藏干	丙己丁	甲乙	戊庚丙	乙癸戊	비겁, 운으로 흐른다.
大運	71 癸 酉	61 甲 戌	51 乙 亥	41 丙 子	31 丁 丑	21 戊 寅	11 己 卯	1 庚 辰	동생은 인성, 관성, 운으로 흐른다. ④ 관성(水)이 없는 사주이다.

쌍둥이 모두 밝고, 명랑하다. 그런데 너무 자주 싸워서 함께 살지 못하고 어려서부터 떨어져서 산다. 언니는 돈에 관심이 많고 동생은 공부를 잘하는 편이라서 철학과에 진학했다. 언니는 남자와 인연이 없고 동생은 연애를 잘하는 편이다. 가정을 어머니가 사업으로 이끌어 가고 아버지는 무능력하다.

▶ **공통점(일주 丁卯 중심 간명)**
① 비겁(丁,丙), 병궁병(욕)종 : 형제가 서로 떨어져 살아야 할 명이다.
② 식상(己,戊), 병궁병(욕)종 : 매우 활동적이다.
③ 재성(辛,庚), 병궁절(태)종 : 아버지의 덕을 기대하기 어렵다.
④ 관성(癸,壬), 병궁생(사)종 : 관성 운에서 극단적으로 달라진다.
⑤ 인성(乙,甲), 병궁록(왕)좌 : 어머니가 능력자이고 어머니의 덕이 있다.
초년(甲辰) 운, 천간에 재성이 들어왔고, 지지는 상관이다. 따라서 언니는 어려서부터 돈에 관심이 많고, 동생은 언니 보다 공부에 유리함이 있다.

▶ **다른점(시주 丙午 중심 간명)**
① 성격, 언니는 丙火로써 밝고, 명랑하고 급하다. 동생은 丁火로써 평소 정

이 많은 편이나, 폭발적인 면을 가진다.

② 언니 丙火는 태양이므로 경쟁을 싫어하고 남 밑에 있는 것을 꺼린다. 동생 丁火는 촛불이므로 철학이나 종교적인 성향이 강하다.

③ 언니 丙火에게 관성은 壬癸, 수인데 팔자에 없고, 다만 년지에 지장간에 癸水가 있으나 지지에 있으므로 동생 丁火에게 우선권이 있다. 그뿐만 아니라 대운에서도 관성에 해당하는 水 운이 들어오지 않는다. 즉 71대운에서 癸水, 운이 뒤늦게 들어오는 구조이므로 남자를 사귀기 어려운 사주이다.

동생 丁火는 관성이 壬癸, 수인데 팔자에 관성이 없으나 41대운에서 관성운이 들어온다. 그뿐만 아니라 년지 辰土의 지장간에 癸水가 있다. 따라서 연애를 잘 할 수 있는 구조이다.

④ 결과, 이 사주는 관성 운에서 극단적으로 달라지는 특징이 있다. 따라서 언니는 남편 덕이 약할 수 있고, 동생은 남편의 덕을 기대할 수 있다고 본다.

사례 2' 여, 己酉, 癸酉, 丙申, 乙未

區分	時	日	月	年	기타
六神	정인	본원	정관	상관	① 일간 : 丙火
天干	乙	丙	癸	己	② 언니는 乙木, 동생은
地支	未	申	酉	酉	未土
六神	상관	편재	정재	정재	③ 언니는 대운이 비겁
支藏干	丁乙己	戊壬庚	庚辛	庚辛	식상, 운으로 흐른다.
大運	77 辛 巳	67 庚 辰	57 己 卯	47 戊 寅	37 丁 丑	27 丙 子	17 乙 亥	7 甲 戌	동생은 비겁, 재성, 운으로 흐른다.

언니는 결혼하여 1남 1녀를 두고 있다. 동생은 미혼이다. 성격은 둘 다 쾌활하며 활동적이다. 언니는 남편과 같이 농사를 짓고, 동생은 개인 사업을 하고 있다.

▶ 공통점(일주 丙申 중심 간명)

① 비겁(丙,丁), 병궁병(욕)종

② 식상(戊,己), 병궁병(욕)좌 : 매우 활동적이다.

③ 재성(庚,辛), 병궁록(왕)좌

④ 관성(壬,癸), 병궁생(사)좌 : 관성 운에서 극단적으로 달라진다.

⑤ 인성(甲,乙), 병궁절(태)종

초년(己酉) 운, 천간에 상관이 들어왔고, 지지는 재성이다.

▶ 다른점(시주 乙未 중심 간명)

① 성격, 언니는 乙木으로써 인자하고 부드러운 면이 있다. 그런데 쌍둥이는 일간의 성향을 공통적으로 가지면서 시주의 오행에 따라 달라지는 면이 있다.

따라서 외적으로는 밝고, 명랑하게 보일 것이다.

　동생은 未土로써 겉모습은 언니와 크게 달라 보이지 않을 것이다.

　② 언니 乙木의 남편은 일지 申金이다. 남편이 일지에 자리하고 있고, 金의 기운이 강해서 배우자의 인연도 깊은 사주이다.

　동생 未土의 남편은 시간의 乙木이다. 그런데 시지에 부성입묘 되어 있는 형국이다. 더구나 강한 金의 세력으로부터 극을 당하고 있다. 따라서 남편의 덕을 기대하기 어렵고, 만약 결혼한다고 하더라도 시간에 관성이 위치하므로 늦은 시기에 가능할 것으로 보인다.

　③ 동생 未土에게 년지, 월지, 일지에 있는 金의 세력은 식상에 해당한다. 그리고 월간의 癸水가 정재에 해당하므로 사업이 가능한 구조이다. 즉 식상생재의 구조일뿐만 아니라 대운의 흐름도 재성(亥,子,丑)운으로 흐르고 있다.

　④ 결과, 동생이 결혼하지 못한 이유에 대해 쌍둥이 자매의 관성 운이 극단적으로 달라지는 것을 12운성의 좌법으로 확인할 수 있고, 팔자에서 동생의 남편에 해당하는 시간의 乙木이 부성입묘 되어 있는 형국이기 때문이다.

사례 3' 남, 癸巳, 乙丑, 己丑, 癸酉

區分	時	日	月	年	기타
六神	편재	본원	편관	편재	① 일간 : 己土
天干	癸	己	乙	癸	② 형은 癸水, 동생은 酉金
地支	酉	丑	丑	巳	③ 언니는 대운이 비겁, 인성, 운으로 흐른다. 동생은 식상, 비겁, 운으로 흐른다.
六神	식신	비견	비견	정인	
支藏干	庚辛	癸辛己	癸辛己	戊庚丙	
大運	79 丁 巳	69 戊 午	59 己 未	49 庚 申	39 辛 酉	29 壬 戌	19 癸 亥	9 甲 子	

출생 시간은 5분 차이며, 유복한 가정에서 태어나 같은 초중고를 졸업하였다. 성격은 동생이 더 유순했다. 형은 고졸, 동생은 공업전문대 졸업이다. 29살(辛酉년) 때 같은 날 같은 예식장에서 같은 시간에 결혼하였고, 결혼 후 형은 미국으로 가서 목사 자격을 취득해서 목회 활동을 하고 있으며 결혼생활은 원만하다. 동생은 생활이 변변찮고 어렵게 살다가 2017년 아내를 암으로 잃은 후 혼자 산다. 형은 2남, 동생은 2녀의 자식을 두고 있다.

▶ **공통점(일주 己丑 중심 간명)**

① 비겁(己,戊), 묘궁묘(양)좌

② 식상(辛,庚), 묘궁양(묘)좌

③ 재성(癸,壬), 묘궁대(쇠)좌 : 쌍둥이 배우자의 모습이 서로 다르다. 묘궁대좌, 라고 한다면 배우자가 아플 수 있는 명이고, 묘궁쇠의 모습은 배우자가 성공한 형상이다.

④ 관성(乙,甲), 묘궁쇠(대)종 : 쌍둥이의 관성 운도 서로 크게 다르다.

⑤ 인성(丁,丙), 묘궁묘(양)종

초년(癸巳) 운, 천간에 편재가 들어왔고, 지지는 인성이다. 따라서 형은 고졸, 동생은 공업전문대 졸업으로 동생이 형보다 공부를 더 잘했다.

▶ 다른점(시주 癸酉 중심 간명)

① 성격, 형은 癸水이므로 부드러운 모습이면서 냉정함이 있다. 동생은 酉金이므로 의리가 있다. 따라서 동생이 더 유순해 보였을 것이다.

② 형의 배우자는 년지의 巳火이다.

그리고 동생의 배우자는 월간의 乙木이다. 그런데 지지가 巳酉丑 삼합으로 형성되어 있어서 金의 세력이 무척 강하다. 따라서 월간의 乙木이 견디기 어려운 형국이다. 그뿐만 아니라 동생의 배우자가 사망한 2017년의 대운이 庚申 대운이다.

③ 동생의 생활이 변변찮은 이유는 지지가 온통 巳酉丑 삼합으로 형성되어 있어서 비겁의 기운이 너무 강하다. 따라서 재물을 취하기에는 불리한 형국이다.

④ 결과, 이 사주의 구조는 재성 운과 관성 운에서 크게 달라지는 모습이다. 즉 묘궁대와 묘궁쇠의 모습이므로 쌍둥이의 배우자 어느 한쪽은 질병에 노출될 수 있고, 다른 한쪽은 성공한 모습이다. 그리고 자식의 관계도 2남과 2녀이므로 같은 논리로 해석할 수 있다.

사례 4' 남, 乙巳, 戊子, 己亥, 壬申

區分	時	日	月	年	기타
六神	정재	본원	겁재	편관	① 일간 : 己土
天干	壬	己	戊	乙	② 형은 壬水, 동생은
地支	申	亥	子	巳	申金
六神	상관	정재	편재	정인	③ 형은 대운이 재성, 식
支藏干	戊壬庚	戊甲壬	壬癸	戊庚丙	상, 운으로 흐른다.
大運	71 庚 辰	61 辛 巳	51 壬 午	41 癸 未	31 甲 申	21 乙 酉	11 丙 戌	1 丁 亥	동생은 비겁, 관성, 운으 로 흐른다.

두 형제 모두 고등학교를 졸업하였고, 형은 제철 회사 직원으로서 40대에 결혼하여 현재 자식이 없다. 동생은 영업사원으로 일하고 있는데 자식이 한 명 있는 여자를 만나서 결혼하였다. 두 형제 모두 경제적으로 잘 사는 편이지만 동생이 서울에 살고 있어서 시골에서 사는 형보다 경제적으로 조금 여유롭다.

▶ 공통점(일주 己亥 중심 간명)
① 비겁(己,戊), 태궁태(절)좌
② 식상(辛,庚), 태궁욕(병)종
③ 재성(癸,壬), 태궁왕(록)좌 : 쌍둥이 형제 모두 재성 운이 강하다.
④ 관성(乙,甲), 태궁사(생)좌 : 관성 운에서 서로 크게 달라진다.
⑤ 인성(丁,丙), 태궁태(절)종
초년(乙巳) 운, 천간에 편관이 들어왔고, 지지는 인성이다.

▶ 다른점(시주 壬申 중심 간명)
① 성격, 형은 壬水의 성향이고, 동생은 申金의 성향이다.
② 직업, 형 壬水에게 월간의 戊土와 일간의 己土는 관성에 해당한다. 따라

서 사업보다는 직장 생활이 잘 맞을 수 있고, 동생 申金에게 월지의 子水와 일지의 亥水는 식상에 해당한다. 따라서 영업사원이 잘 맞는 구조이다.

③ 형의 배우자는 년지의 巳火이고, 동생의 배우자는 년간의 乙木이다. 그래서 두 사람 모두 결혼이 가능한 사주이다.

④ 결과, 이 사례는 정보의 부족으로 분석에 어려움이 있는 사주이다. 다만 두 사람 모두 결혼하였는데 형은 자식이 없고, 동생은 자식이 있다는 점에서 차이가 발생한다. 즉 관성 운에서 크게 달라질 수 있다고 본다. 그리고 재성 운이 태궁록(왕)좌의 관계이므로 쌍둥이 모두 경제적으로 여유로울 수 있는 사주의 구조이다.

사례 5' 남, 甲寅, 丁卯, 己巳, 庚午

區分	時		日		月		年		기타
六神	상관		본원		편인		정관		① 일간 : 己土
天干	庚		己		丁		甲		② 형은 壬水, 동생은
地支	午		巳		卯		寅		申金
六神	편인		정인		편관		정관		③ 형은 대운이 재성, 식
支藏干	丙己丁		戊庚丙		甲乙		戊丙甲		상, 운으로 흐른다.
大運	72	62	52	42	32	22	12	2	동생은 비겁, 관성, 운으
	乙	甲	癸	壬	辛	庚	己	戊	로 흐른다.
	亥	戌	酉	申	未	午	巳	辰	④ 재성(水)이 없다.

두 형제 모두 결혼하였고 같은 아파트에서 살고 있으며 이공계 공무원으로 근무하고 있다. 진급은 동생이 빠른 편이나 경제적으로 형이 더 잘 산다. 성격은 형이 좀 강한 편이지만 살아가는 모습이나 과정이 비슷하다.

▶ 공통점(일주 己巳 중심 간명)

① 비겁(己,戊), 왕궁왕(록)좌 : 형제의 덕이 있다.

② 식상(辛,庚), 왕궁사(생)좌 : 식상에서 크게 달라지는 모습이다.

③ 재성(癸,壬), 왕궁태(절)종

④ 관성(乙,甲), 왕궁욕(병)종

⑤ 인성(丁,丙), 왕궁왕(록)좌 : 어머니의 덕과 공부에 유리함이 있다.

초년(甲寅) 운, 천간과지지 모두 관성이 들어왔다.

▶ 다른점(시주 庚午 중심 간명)

① 성격, 형은 庚金의 성향이므로 의리와 의협심이 강하고 겉모습이 강해 보일 수 있다. 동생은 午火의 성향이므로 정이 많고 겉모습이 부드러워 보일 수 있으나 폭발적인 면이 있다.

② 직업, 형과 동생 모두 인성이 왕궁왕(록)의 모습이고, 관성이 왕궁욕(병)

의 모습이다. 즉 관인상생할 수 있는 구조이므로 공직에 잘 맞는 사주의 구조이다.

③ 형제관계, 비겁(戊,己)이 왕궁왕(록)의 관계이므로 우애가 깊고 형제의 덕이 있는 사주이다.

④ 형의 배우자는 월지의 卯木이고, 동생의 배우자는 시간의 庚金이다.

⑤ 결과, 이 사례는 정보의 부족으로 식상의 상태 즉 형제의 건강이나 구체적으로 하는 일 등에 대해 사주를 분석하기 어렵다. 그러나 식상이 왕궁사(생)의 관계에 있으므로 성장하는 과정에서 서로 살아가는 모습이 달라질 가능성이 크다.

사례 6' 여, 甲午, 丁丑, 丙申, 辛卯

區分	時	日	月	年	기타
六神	정재	본원	겁재	편인	① 일간 : 丙火
天干	辛	丙	丁	甲	② 언니는 辛金, 동생은
地支	卯	申	丑	午	卯木
六神	정인	편재	상관	겁재	③ 언니는 대운이 재성,
支藏干	甲乙	戊壬庚	癸辛己	丙己丁	식상, 운으로 흐른다.

大運	79	69	59	49	39	29	19	9	동생은 인성, 관성, 운으로 흐른다.
	己	庚	辛	壬	癸	甲	乙	丙	④ 관성(水)이 없다.
	巳	午	未	申	酉	戌	亥	子	

언니는 한 성질 한다, 결혼은 했으나 이혼하였다. 동생은 부드러운 성격으로 요조숙녀이다. 1남 1녀를 두고 있고, 남편의 사업을 도우며 잘 산다.

▶ 공통점(일주 丙申 중심 간명)

① 비겁(丙,丁), 병궁병(욕)종

② 식상(戊,己), 병궁병(욕)좌

③ 재성(庚,辛), 병궁록(왕)좌

④ 관성(壬,癸), 병궁생(사)좌 : 자매는 관성 운에서 극단적으로 달라진다.

⑤ 인성(甲,乙), 병궁절(태)종

초년(甲寅) 운, 천간에 인성이 들어왔고, 지지에는 겁재가 들어왔다.

▶ 다른점(시주 辛卯 중심 간명)

① 성격, 언니는 辛金의 성향이므로 의리와 의협심이 있고 자기주장이 강하다. 동생은 卯木의 성향이므로 부드러워 보인다.

② 배우자 관계, 언니의 남편은 일간의 丙火이다. 그런데 관살이 혼잡한 형국이고 관성의 기운이 너무 강해서 언니 辛金이 견디기 힘든 형상이다.

동생의 배우자는 일지의 申金이다. 따라서 언니와 동생 모두 결혼이 가능한 사주의 구조이나 언니의 사주는 관살의 해(害)를 입기 쉽고, 동생의 사주는 일지에 정관 남편이 있는 형상이므로 관계가 원만할 수 있다.

③ 결과, 이 사례는 관성 운이 병궁생(사)좌 이므로 배우자의 운이 극단적으로 달라지는 모습이다. 따라서 쌍둥이 자매의 어느 한쪽은 배우자의 덕을 기대하기 어려운 사주이다. 어느 쪽이 배우자 덕이 부족한 지 여부에 대해서는 팔자에서 찾으면 된다.

사례 7' 남, 壬寅, 丙午, 丙子, 乙未

區分	時		日		月		年		기타
六神	정인		본원		비견		편관		① 일간 : 丙火
天干	乙		丙		丙		壬		② 형은 乙木, 동생은
地支	未		子		午		寅		未土
六神	상관		정관		겁재		편인		③ 형은 대운이 재성, 관
支藏干	丁乙己		壬癸		丙己丁		戊丙甲		성, 운으로 흐른다.
大運	80	70	60	50	40	30	20	10	동생은 식상, 재성, 운으
	甲	癸	壬	辛	庚	己	戊	丁	로 흐른다.
	寅	丑	子	亥	戌	酉	申	未	④ 재성(金)이 없다.

형은 경북 출생으로 대구에서 사범대 화학과를 나와 현재 서울에서 전산 계통의 회사에 다니며 원칙주의자이고 합리적이며 슬하에 딸 둘이 있다.

동생은 대구에서 전문대 경영학과를 졸업하였고 포항에서 부부간에 식료품점을 운영하고 있으며 아들 하나를 두고 있고 활달하고 계산적이나 눈물이 많고 불교를 믿는다.

▶ 공통점(일주 丙子 중심 간명)

① 비겁(丙,丁), 태궁태(절)종

② 식상(戊,己), 태궁태(절)종

③ 재성(庚,辛), 태궁사(생)종 : 재성이 극단적으로 다르다.

④ 관성(壬,癸), 태궁왕(록)좌

⑤ 인성(甲,乙), 태궁욕(병)종

초년(壬寅) 운, 천간에 관성이 들어왔고, 지지에는 인성이 들어왔다.

▶ 다른점(시주 乙未 중심 간명)

① 성격, 형은 乙木의 성향이므로 인자하고, 사교적이며 원칙적일 수 있다.
동생은 未土의 성향이므로 천역성으로 인해 활동적이나 화개살이 작용하므로

종교적일 수 있다.

② 직업, 형 乙木에게 년간의 壬水와 일지의 子水는 인성에 해당하고, 대운의 흐름도 관성운으로 흐른다. 따라서 사업보다 직장에 맞는 사주이다.

동생 未土의 대운은 식상운에서 재성운으로 흐른다. 그래서 직장보다 사업에 맞는 사주이다.

③ 배우자 관계, 재성이 태궁사(생)이므로 쌍둥이 형제의 배우자 관계가 극단적으로 달라질 수 있다. 그런데 이 사례는 형의 배우자에 대한 정보가 없다. 다만 슬하에 딸 둘이 있다는 정도이다.

형의 배우자는 시지의 未土이다. 그리고 동생의 배우자는 년간의 壬水인데 병지에 앉아 있으므로 배우자가 활동적이다.

④ 결과, 배우자에 해당하는 재성이 태궁사(생)이므로 극단적인 면이 있고, 비겁이 태궁태(절)에 해당하여 형제 관계도 좋아 보이지 않는다. 그러나 정보가 제한적이므로 어떤 상황에 놓여 있는지 확인할 수 없다.

사례 8' 남, 壬子, 己酉, 壬子, 戊申

區分	時	日	月	年	기타
六神	편관	본원	정관	비견	① 일간 : 壬水
天干	戊	壬	己	壬	② 형은 戊土, 동생은
地支	申	子	酉	子	申金
六神	편인	겁재	정인	겁재	③ 형과 동생 모두 대운
支藏干	戊壬庚	壬癸	庚辛	壬癸	이 식상, 재성, 운으로 흐
大運	77 丁 巳	67 丙 辰	57 乙 卯	47 甲 寅	37 癸 丑	27 壬 子	17 辛 亥	7 庚 戌	른다. ④ 식상과 재성(木,火)이 없다.

형은 대학교를 졸업한 후 직장인(농협)으로 근무하고, 배우자와 같이 살고 있는데 경제적으로는 큰 문제가 없으나 성격이 강하고 고집이 세며 의처증이 있다.

동생도 대학교를 졸업한 후 직장을 다니다가 40대 초반에 그만두었다. 성격이 형보다 더 강하고 동생도 의처증 증세가 있다고 한다.

▶ **공통점(일주 壬子 중심 간명)**

① 비겁(壬,癸), 왕궁왕(록)좌

② 식상(甲,乙), 왕궁욕(병)종

③ 재성(丙,丁), 왕궁태(절)종 : 형제 모두 재성이 절,태로 덕이 약하다.

④ 관성(戊,己), 왕궁태(절)종

⑤ 인성(庚,辛), 왕궁사(생)종 : 인성운이 극단적으로 달라서 한쪽이 머리를 쓰는 일을 하게 되면 다른 한쪽은 육체를 사용할 가능성이 크다. 또는 어느 한쪽이 어머니의 덕이 약할 수도 있다.

초년(壬子) 운, 천간이 비견이고, 지지에는 겁재가 들어왔다.

▶ **다른점(시주 戊申 중심 간명)**

- 104 -

① 성격, 형은 戊土의 성향이므로 양의 극단으로서 중후하고 남성 다운 성격의 소유자이다. 동생은 申金의 성향이므로 외적으로 강인해 보이겠지만 내적으로는 순수한 면이 있는 성격이다.

② 형 戊土의 배우자는 일지의 子水이다. 戊癸합으로 암명합을 하고 있는 형국이다. 이런 경우에는 부인에게 집착하는 경향이 나타난다. 또한 재성이 왕궁태(절)이므로 배우자의 덕이 약할 수 있다.

동생 申金의 배우자는 팔자에 없고, 대운에서 늦게 들어온다. 형과 마찬가지로 재성이 왕궁태(절)이므로 배우자와의 관계가 원만하기 어렵다.

③ 결과, 이 사례는 동생의 하는 일이 구체적으로 나와 있지 않다. 인성운이 왕궁사(생)이므로 하는 일이 크게 다를 수 있거나, 어느 한쪽은 어머니의 덕을 보기 어려울 수 있다.

사례 9' 남, 戊辰, 甲寅, 乙卯, 戊子

區分	時	日	月	年	기타
六神	정재	본원	겁재	정재	① 일간 : 乙木
天干	戊	乙	甲	戊	② 형은 戊土, 동생은
地支	子	卯	寅	辰	子水
六神	편인	비견	겁재	정재	③ 형은 대운이 관성, 인
支藏干	壬癸	甲乙	戊丙甲	乙癸戊	성, 비겁, 운으로 흐른다.
大運	71 61 51 41 31 21 11 1				동생은 식상, 재성, 운으로 흐른다.
	壬 辛 庚 己 戊 丁 丙 乙				④ 식상과 관성이 없다.
	戌 酉 申 未 午 巳 辰 卯				

형은 제왕절개 수술로 출생하였으며 대학교를 졸업하였으나 공부에는 별로 관심이 없고, 운동을 잘하며 태권도 4단이다. 결혼 생각이 없으며 고집이 세고 다혈질적인 성격이다.

동생은 형과 3분 차이로 태어났고 대학교 체육과를 중퇴하였으며 자동차 부품공장에서 지게차를 운전하다가 회사 동료로 만난 5년 연상의 여자와 결혼하였다. 동생도 운동을 좋아하고 사교적인 성격이다.

▶ 공통점(일주 乙卯 중심 간명)

① 비겁(甲,乙), 록궁왕(록)좌

② 식상(丙,丁), 록궁욕(병)종 : 형제 모두 몹시 활동적이다.

③ 재성(戊,己), 록궁욕(병)종

④ 관성(庚,辛), 록궁태(절)종

⑤ 인성(壬,癸), 록궁사(생)종 : 인성운이 극단적으로 다르다.

초년(壬子) 운, 천간이 비견이고, 지지에는 겁재가 들어왔다.

▶ 다른점(시주 戊子 중심 간명)

① 성격, 형은 戊土의 성향이므로 양의 극단으로서 중후하고 남성 다운 성

격의 소유자이다. 동생은 子水의 성향이므로 냉정한 면이 있으나 사교적일 수 있다.

② 식상이 록궁욕(병)종의 형국이므로 몸을 쓰는 운동과도 관련이 있다. 그러나 운동은 생물학적인 영향이 크다.

③ 형 戊土의 배우자는 시지의 子水이다. 그런데 년간에 비견인 戊土가 있어서 결혼이 힘들 수 있고, 만약 결혼 하더라도 시지에 재성이 있으므로 결혼이 늦어질 수 있다.

동생 子水의 배우자는 월지의 지장간에 있는 丙火로 볼 수 있는데 근묘화실론에 의해서 형보다 결혼이 빠를 수 있다. 그리고 동생이 학교를 중퇴한 원인을 굳이 찾는다면 21 丁巳 대운부터 재성운이 들어오기 때문이다.

④ 결과, 쌍둥이 형제 모두 식상이 록궁욕(병)의 형상이므로 몸을 쓰는 운동이 잘 맞을 수 있고, 결혼 관계는 대운의 흐름이나 근묘화실론에 의하더라도 동생이 형보다 빨리 결혼을 할 수 있는 구조이다.

사례 10' 남, 甲午, 乙亥, 庚寅, 己卯

區分	時		日		月		年		기타
六神	정인		본원		정재		편재		① 일간 : 庚金
天干	己		庚		乙		甲		② 형은 己土, 동생은
地支	卯		寅		亥		午		卯木
六神	정재		편재		식신		정관		③ 형은 대운이 인성, 비
支藏干	甲乙		戊丙甲		戊甲壬		丙己丁		겁, 운으로 흐른다.
大運	72	62	52	42	32	22	12	2	동생도 인성, 비겁, 운으
	癸	壬	辛	庚	己	戊	丁	丙	로 흐른다.
	未	午	巳	辰	卯	寅	丑	子	

형은 미국에 이민하여 자영업을 하면서 살고 있으며 경제적으로 안정적이다. 근면 성실하고 총명하다. 뒤늦게 미국으로 건너온 쌍둥이 동생을 돌본다.

동생은 자영업으로 한국에서 의류점, 노래방, 등 여러 가지 사업을 했으나 잘 풀리지 않았고, 처에게 의지해서 살면서도 술과 여자를 좋아해서 늘 부부 관계가 불화하였다. 결국 庚辰 대운 때 사업실패로 이혼을 하였다. 그리고 아들을 데리고 미국에 있는 형에게 의지하려고 도피하였다.

▶ **공통점(일주 庚寅 중심 간명)**

① 비겁(庚,辛), 절궁절(태)종

② 식상(壬,癸), 절궁병(욕)종

③ 재성(甲,乙), 절궁록(왕)좌 : 형제 모두 배우자 관계가 원만하기 어렵다.

④ 관성(丙,丁), 절궁생(사)좌 : 관성에서 운명이 극단적으로 달라진다.

⑤ 인성(戊,己), 절궁생(사)좌 : 인성에서 운명이 극단적으로 달라진다.

▶ **다른점(시주 己卯 중심 간명)**

① 성격, 형은 己土의 성향이므로 포용력이 있고 중립적이며 근면 성실하다. 동생은 묘목의 성향으로 부드럽고 인자하며 사교적인 면이 있다.

② 배우자 관계, 형의 배우자는 월지의 亥水이다. 그러나 재성이 절궁록(왕)좌의 형국이므로 배우자 관계가 불안하다. 형의 결혼 여부에 관한 정보가 없어서 어떤 상황에 놓였는지 알 수 없으나 만약 부부관계가 원만하다면 해외이주에 따른 영향으로 생각해 볼 수도 있다.

동생의 배우자는 시간의 己土이다. 재성이 절궁록(왕)의 형국이므로 배우자 관계가 원만하기 어렵다. 그리고 팔자에 비겁이 많아서 그런 현상은 더 강해질 수 있다.

③ 직업, 형과 동생 모두 절궁에 놓여 있는 형국이므로 변화가 많을 수밖에 없다. 그래도 형은 해외 이주에 따른 영향으로 화를 면할 수 있으나 동생은 그 흉화를 피하기 어렵다. 그래서 동생은 직업 변화가 많을 수밖에 없었고 잘 풀리지 않은 원인도 절궁에 놓여 있는 원인으로 분석할 수 있다.

④ 결과, 이 사례는 관성과 인성에서 극단적으로 달라지는 형국이다. 따라서 형은 직업이 안정적일 수 있고, 동생은 직업이 절궁의 영향을 받을 수밖에 없다. 그리고 형의 결혼 여부에 관한 정보가 부족하여 사례분석에 어려움이 있는데 형은 자식에 관한 정보가 없고, 동생은 아들이 있다.

사례 11' 남, 甲寅, 甲戌, 辛卯, 戊子

區分	時	日	月	年	기타
六神	정인	본원	정재	정재	① 일간 : 辛金
天干	戊	辛	甲	甲	② 형은 戊土, 동생은
地支	子	卯	戌	寅	子水
六神	식신	편재	정인	정재	③ 형은 대운이 관성, 인
支藏干	壬癸	甲乙	辛丁戊	戊丙甲	성, 비겁,운으로 흐른다.
大運	77 壬 午	67 辛 巳	57 庚 辰	47 己 卯	37 戊 寅 / 27 丁 丑 / 17 丙 子 / 7 乙 亥	동생은 비겁, 식상, 운으 로 흐른다. ④ 관성(火)이 없다.

형은 대학교에서 영어를 전공하였고, 고등학교 때 허리를 다쳐서 지병이 있으며 낭비가 심하여 신용불량자가 되었으나 동생의 도움으로 해결하였다. 그리고 부친의 도움으로 인터넷 쇼핑몰 사업을 하였으나 실패하고 난 이후 학원 강사를 하고 있다.

동생은 대학교에서 경영학을 전공하였으며 잠시 고시 공부를 하였으나 포기하고 학원을 운영하여 형보다 안정적인 삶을 살고 있다.

▶ 공통점(일주 辛卯 중심 간명)
① 비겁(辛,庚), 절궁절(태)종
② 식상(癸,壬), 절궁사(생)종 : 식상운에서 극단적으로 달라지는 형국이다. 따라서 형의 건강이 좋지 못한 이유이다.
③ 재성(乙,甲), 절궁록(왕)좌
④ 관성(丁,丙), 절궁병(욕)종
⑤ 인성(己,戊), 절궁병(욕)종

▶ 다른점(시주 戊子 중심 간명)
① 성격, 형은 戊土의 성향이므로 포용력이 있고 중립적이며 책임감이 강하

다. 동생은 子水의 성향으로 지혜로우나 냉정한 면이 있다.

② 직업, 형의 사업 부도나 동생의 고시 공부 포기와 같은 원인은 절궁의 영향에 따른 것이다. 즉 절궁은 모든 면에서 변화가 많을 수밖에 없다.

③ 결과, 형 戊土는 팔자에 관살이 혼잡해 있다. 즉, 년주와 시간의 甲木, 그리고 일지의 卯木이 관성에 해당한다. 따라서 너무 강한 관살의 작용으로 건강에 문제가 생길 수 있고, 직업 변동이 많을 수 있다. 또한 戊土의 기본적인 육친은 정인이므로 공부와 관련된 학원 강사의 직업도 가능하다.

동생 子水는 기본적인 육친은 식신이다. 그리고 팔자에 많은 甲,乙목이 식상에 해당한다. 따라서 직장보다 사업에 유리한 구조이다. 동생이 안정적인 이유도 식상생재의 영향이 크다.

이 사례의 경우 쌍둥이 형제는 식상운에서 절궁생종과 절궁사종으로 극단적인 면을 보이는데, 동생은 절궁생종의 작용력으로 사업이 가능하고, 형은 절궁사종의 피해로 인해 몸에 지병이 생기고, 사업에 실패하는 해를 입게 된 것으로 보인다.

사례 12' 여, 壬辰, 壬子, 甲寅, 癸酉

區分	時	日	月	年	기타
六神	정인	본원	편인	편인	① 일간 : 甲木
天干	癸	甲	壬	壬	② 언니는 癸水, 동생은
地支	酉	寅	子	辰	酉金
六神	정관	비견	정인	편재	③ 언니는 대운이 인성,
支藏干	庚辛	戊丙甲	壬癸	乙癸戊	관성,운으로 흐른다.

大運	71	61	51	41	31	21	11	1	동생은 식상, 비겁, 운으
	甲	乙	丙	丁	戊	己	庚	辛	로 흐른다.
	辰	巳	午	未	申	酉	戌	亥	④ 식상(火)이 없다.

언니는 초등학교를 졸업하고 시장에서 식당(보리밥집)을 운영하고 있으며, 자녀는 1녀 1남을 두고 있다. 남편은 30대 초반에 화물차를 운전하다 교통사고로 사망하였다. 성격은 고집이 세고 추진력이 강하며 사교적이다. 친구가 많으며 춤추고 노래하는 것을 좋아한다.

동생은 전업주부로서 직장 생활을 하는 남편과 1남 1녀를 두고 있고, 경제적으로 잘 살며, 성격도 사교적이고 낙천적이다.

▶ 공통점(일주 甲寅 중심 간명)

① 비겁(甲,乙), 록궁록(왕)좌

② 식상(丙,丁), 록궁생(사)좌 : 식상운에서 극단적으로 달라지는 형국이다.

③ 재성(戊,己), 록궁생(사)좌 : 재성운에서 극단적으로 달라지는 형국이다.

④ 관성(庚,辛), 록궁절(태)종 : 어느 한쪽은 절의 영향을 받을 수 있다.

⑤ 인성(壬,癸), 록궁병(욕)종

▶ 다른점(시주 癸酉 중심 간명)

① 성격, 언니는 癸水의 성향이므로 변화에 대한 적응력이 뛰어나고 마음이 잘 변하는 성격이다. 동생은 酉金의 성향이므로 결단력과 의리가 있어서 사교

- 112 -

적으로 보일 수 있다.

② 직업, 식상과 재성이 록궁생좌와 록궁사좌로 극단적이다. 따라서 식상이 생좌에 해당하는 쌍둥이는 사업이 가능하고, 사좌에 해당하는 쌍둥이는 육체적인 활동에 불리함이 있다.

③ 배우자 관계, 언니 癸水의 남편은 년지의 辰土이다. 그런데 水의 기운이 너무 강해서 辰土의 성질이 변할 수 있다. 즉 언니의 31 戊申 대운 때는 申子辰 삼합으로 인해 辰土의 성질이 완전히 사라진다. 남편의 사망과 관련성이 있다.

동생 酉金의 남편은 일지의 지장간에 있는 丙火이다. 일지와 시지의 지장간에서 丙辛 암합을 이루고 있다. 관성운이 록궁절(태)로 인종한 형국인데 암합으로 인해 부부관계가 원만히 유지되는 모습이다.

③ 결과, 이 사례의 중점 분석사항은 언니의 배우자가 빨리 사망했는데 동생은 부부관계가 원만하다는 점이다. 관성운이 록궁절(태)로 인종한 형국이므로 쌍둥이 모두 부부관계에 문제가 생길 수 있다. 그런데 동생은 암합을 이루고 있어서 부부관계가 원만하게 유지될 수 있는 것으로 보인다.

사례 13' 여, 乙巳, 壬午, 乙未, 丙戌

區分	時		日		月		年		기타
六神	상관		본원		정인		비견		① 일간 : 乙木
天干	丙		乙		壬		乙		② 언니는 丙火, 동생은
地支	戌		未		午		巳		戌土
六神	정재		편재		식신		상관		③ 언니는 대운이 관성,
支藏干	辛丁戊		丁乙己		丙己丁		戊庚丙		인성,운으로 흐른다.
大運	79	69	59	49	39	29	19	9	동생은 비겁, 식상, 운으로 흐른다.
	庚	己	戊	丁	丙	乙	甲	癸	④ 관성(金)이 없다.
	寅	丑	子	亥	戌	酉	申	未	

언니는 고등학교를 졸업하였고 작은 옷가게를 운영하고 있으며 남편과 아들이 하나 있다. 그리고 종교는 불교를 믿으며 절에 다니고 있다.

동생은 전문대학을 졸업하였고, 언니보다 재산이 더 많으며 남편과 아들이 하나 있다. 특별한 직업은 없으나 언니의 옷 판매장에서 아르바이트로 일을 돕고 있다.

▶ 공통점(일주 乙未 중심 간명)

① 비겁(乙,甲), 양궁양(묘)좌

② 식상(丁,丙), 양궁대(쇠)좌 : 쌍둥이 모두 자식 복이 있다.

③ 재성(己,戊), 양궁대(쇠)종

④ 관성(辛,庚), 양궁쇠(대)종 : 쌍둥이 모두 남편의 덕이 있다.

⑤ 인성(癸,壬), 양궁묘(양)종

▶ 다른점(시주 丙戌 중심 간명)

① 성격, 언니는 丙火의 성향이므로 밝고, 명랑하고 긍정적인 면이 있으나 급하다. 동생은 戊土의 성향이므로 중후하고 책임감이 있다.

② 직업, 식상과 재성운이 양궁대좌와 양궁쇠좌의 형국이므로 사업이 모두 가능하고 경제적으로 여유로울 수 있다.

③ 언니 丙火가 시지 戌土에 입묘 되어 있다. 따라서 정신세계가 독특할 수 있고, 비겁운이 양궁묘좌의 형국이므로 화개살의 영향으로 종교적일 수 있는 구조이다.

④ 결과, 이 사례는 쌍둥이 자매의 식상, 재성, 관성운이 모두 양궁대(쇠)의 형국이다. 즉 자식, 남편, 재산운이 모두 안정적이다, 그래서 쌍둥이 자매의 사는 모습도 어느 정도 비슷할 것으로 보인다.

사례 14' 여, 壬戌, 壬子, 壬午, 乙巳

區分	時	日	月	年	기타
六神	상관	본원	비견	비견	① 일간 : 壬水
天干	乙	壬	壬	壬	② 언니는 乙木, 동생은
地支	巳	午	子	戌	巳火
六神	편재	정재	겁재	편관	③ 언니는 대운이 관성,
支藏干	戊庚丙	丙己丁	壬癸	辛丁戊	재성,운으로 흐른다.

大運	76	66	56	46	36	26	16	6
	甲	乙	丙	丁	戊	己	庚	辛
	辰	巳	午	未	申	酉	戌	亥

기타(계속):
동생은 관성, 재성, 운으로 흐른다.
④ 인성(金)이 없다.

언니는 여자대학교에서 한국 무용을 전공하였으며 성격이 급하고 비판적이다. 그리고 동생은 언니와는 다른 여자대학교에서 서양무용을 전공하였으며 성격이 온화하고 긍정적이다.

▶ 공통점(일주 壬午 중심 간명)
① 비겁(壬,癸), 태궁태(절)종
② 식상(甲,乙), 태궁사(생)종 : 식상운이 극단적으로 달라진다.
③ 재성(丙,丁), 태궁왕(록)좌
④ 관성(戊,己), 태궁왕(록)좌
⑤ 인성(庚,辛), 태궁욕(병)종

▶ 다른점(시주 乙巳 중심 간명)
① 성격, 언니 乙木은 외유내강형으로 유순하고 타협적인 면이 있다. 그러나 원래 육친의 성향은 상관(일주중심)이므로 급한 면과 비판적인 면이 있을 것이다. 동생 巳火는 밝고, 명랑하고 긍정적인 면이 있는 성격이다.
② 직업, 언니 乙木의 방향은 동쪽이다. 그리고 동생 巳火의 방향은 남쪽에

해당한다. 굳이 사주학적인 면에서 한국무용과 서양무용을 구분한다면 언니는 동쪽의 성향이 강하고, 동생은 서양 쪽으로 볼 수도 있다. 그러나 식상이 태궁사(생)의 형국으로서 극단적인 면이 있으므로 건강 또는 하는 일에 있어서 서로 다를 수 있다고 보는 게 옳다.

④ 결과, 이 사례는 정보가 부족하고, 사례의 대상이 그다지 나이가 많지 않은 상태이므로 구체적인 운명에 관한 분석에는 무리가 있다.

사례 15' 여, 庚寅, 丁亥, 乙卯, 壬午

區分	時	日	月	年	기타
六神	정인	본원	식신	정관	① 일간 : 乙木
天干	壬	乙	丁	庚	② 언니는 壬水, 동생은
地支	午	卯	亥	寅	午火
六神	식신	비견	정인	겁재	③ 언니는 재성, 식상운
支藏干	丙己丁	甲乙	戊甲壬	戊丙甲	으로 흐른다.

大運	73	63	53	43	33	23	13	3	동생은 재성, 비겁, 운으
	己	庚	辛	壬	癸	甲	乙	丙	로 흐른다.
	卯	辰	巳	午	未	申	酉	戌	④ 재성(土)이 없다.

언니는 37세인 癸未 대운, 丙寅 년에 심장병이 발병하여 壬午 대운에 심장 수술을 하였으며 뇌경색으로 투병하다 47세 壬午 대운 丙子년에 사망하였다.

동생은 건강이 양호하고 결혼하여 살림에만 전념하고 있으며 경제적으로 여유 있는 생활을 하고 있다.

▶ 공통점(일주 乙卯 중심 간명)

① 비겁(乙,甲), 록궁록(왕)좌

② 식상(丁,丙), 록궁병(욕)종

③ 재성(己,戊), 록궁병(욕)종

④ 관성(辛,庚), 록궁절(태)종

⑤ 인성(癸,壬), 록궁생(사)종

▶ 다른점(시주 壬午 중심 간명)

① 성격, 언니 壬水의 성향은 융통성이 있고, 지혜로우며 환경에 대한 적응 력이 뛰어나다. 동생 午火의 성향은 겉모습은 부드러워 보이나 폭발적인 면이 있다.

② 건강, 식상운이 록궁병의 형국과 록궁욕의 형국이다. 따라서 어느 한쪽은 아플 수 있고, 어느 한쪽은 멋이 있어서 인기를 누릴 수 있는 사주이다.

그런데 언니 壬水의 사주가 몹시 신약하다. 그리고 심장병이 발병하였던 癸未 대운 때는 지지에서 亥卯未 삼합이 이루어지면서 壬水의 뿌리가 사라진다. 또한 사망에 이르게 된 丙子 년에는 시주와 천극지충의 관계가 형성되어 신약한 壬水에게 아주 불리한 상황이 된다.

동생 午火는 강한 木의 기운을 받고 있어서 신강하다. 그리고 언니 임수가 사망하였던 丙子 년에는 시주와 천극지충이 되었지만 신강한 동생에게는 영향이 없었을 가능성이 크다.

③ 배우자 관계, 관성운이 록궁절의 형국과 록궁태의 형국이므로 쌍둥이 자매 모두 부부관계가 불안할 수 있다. 그러나 동생의 배우자는 월지의 亥水 이고, 서로 암합을 하고 있어서 배우자 관계가 원만할 수 있다.

④ 결과, 쌍둥이의 사주를 부분적인 정보만으로 분석하기에는 어려움이 있을 수밖에 없다. 이 사례는 저자가 직접 상담하였거나 목격한 사실도 없으며 단순히 전해 들은 사실에 불과하다. 그럼에도 쌍둥이의 건강을 식상운(록궁병욕)과 시주간명법을 활용하여 분석해 보았다.

사례 16' 여, 甲申, 辛未, 乙卯, 癸酉

區分	時	日	月	年	기타
六神	편재	본원	식신	정관	① 일간 : 己土
天干	癸	己	辛	甲	② 언니는 癸水, 동생은
地支	酉	卯	未	申	酉金
六神	식신	편관	비견	상관	③ 언니는 인성, 관성운
支藏干	庚辛	甲乙	丁乙己	戊壬庚	으로 흐른다.
大運	72 癸 亥	62 甲 子	52 乙 丑	42 丙 寅	32 丁 卯	22 戊 辰	12 己 巳	2 庚 午	동생은 관성, 재성, 운으로 흐른다. ④ 인성(火)이 없다.

언니는 庚寅(1950)년 6살 때 6.25 피난길에서 헤어진 후 생사불명이다. 동생의 성격은 급하면서 술을 잘 마시고, 욕도 잘하며 남편을 우습게 안다. 남편은 건강이 좋지 않아서 자주 병원에 입원하여 치료를 받는다.

▶ 공통점(일주 己卯 중심 간명)
① 비겁(己,戊), 병궁병(욕)종 : 쌍둥이가 떨어져 살 수 있는 운이다.
② 식상(辛,庚), 병궁절(태)종
③ 재성(癸,壬), 병궁생(사)종
④ 관성(乙,甲), 병궁록(왕)좌
⑤ 인성(丁,丙), 병궁병(욕)종

▶ 다른점(시주 癸酉 중심 간명)
① 성격, 언니 癸水의 성향은 지혜로우나 계산적이고 내면에는 냉정한 면이 있다. 동생 酉金의 성향은 의리와 의협심이 있으나 자기주장이 무척 강하다.
② 자매관계, 비견운이 병궁병의 형국이다. 그래서 자매간에 떨어져 살 수 있는 운이다. 그리고 언니 癸水는 유동적인 성향이 강하고 동생 酉金은 고정적인 의미가 있다. 따라서 언니의 불운을 예측해 볼 수 있다고 본다.
③ 배우자 관계, 관성 운이 병궁록(왕)의 형국이므로 쌍둥이 자매 모두 남편

의 덕은 있는 사주이다. 그런데 동생 酉金의 남편은 팔자에 없고, 다만 12대운에서 관성운이 들어온다.

④ 결과, 이 사례의 중점 분석사항은 쌍둥이 자매가 헤어져서 생사불명이라는 점이다. 결국 자매의 관계는 일주에서 비겁의 운을 12운성의 좌법이나 인종법을 활용해서 살펴본 후 시주를 중심으로 두 사람의 관계를 분석해야 알 수 있다. 그러나 사건, 사고와 관련돼서 발생한 사안이므로 추상적인 분석이 가능할 뿐이다.

사례 17' 여, 丁酉, 辛亥, 癸丑, 甲寅

區分	時	日	月	年	기타
六神	상관	본원	편인	편재	① 일간 : 癸水
天干	甲	癸	辛	丁	② 언니는 甲木, 동생은
地支	寅	丑	亥	酉	寅木
六神	상관	편관	겁재	편인	③ 언니는 인성, 비겁운
支藏干	戊丙甲	癸辛己	戊甲壬	庚辛	으로 흐른다.

大運	71	61	51	41	31	21	11	1	동생은 인성, 비겁, 운으
	己	戊	丁	丙	乙	甲	癸	壬	로 흐른다.
	未	午	巳	辰	卯	寅	丑	子	

언니는 냉정한 성격으로 형제애가 별로 없다. 종교는 믿지 않고 62세, 戊午 대운, 戊子년에 뇌 수술을 하였다. 남편과 딸, 아들 1명씩이 있다.

동생의 성격도 냉정하다. 그러나 형제애가 강하고 종교, 믿음이 강하다. 첫 남편과 이혼하고 재혼하여 살고 있다. 슬하에 아들이 1명 있다.

공통적으로 초년 20세까지 집이 가난하여 힘들었다. 21-30세 직장 생활하던 중 결혼하였다. 戊子년에 아버지가 사망하였고, 자매 모두 고등학교를 졸업하였다. 그리고 자매 모두 다혈질이고 음식점 사업으로 성공하였다.

▶ 공통점(일주 癸丑 중심 간명)
① 비겁(癸,壬), 대궁대(쇠)좌 : 자매가 성공한 모습이다.
② 식상(乙,甲), 대궁쇠(대)종
③ 재성(丁,丙), 대궁묘(양)종 : 편재 아버지의 인연이 약하다.
④ 관성(己,戊), 대궁묘(양)좌 : 어느 한쪽은 남편의 덕을 기대하기 어렵다.
⑤ 인성(辛,庚), 대궁양(묘)좌

▶ 다른점(시주 甲寅 중심 간명)
① 성격, 언니 甲木의 성향은 굽히는 것을 싫어하고 위로 성장하려는 기운

이 강하다. 그리고 육친으로는 상관에 해당하므로 냉정함이 더 강할 것이다. 동생은 寅木의 성향으로 언니와 같은 木의 기운이 강하고 육친으로도 상관이므로 언니와 비슷한 성격일 것이다.

② 사업관계, 식상운이 대궁쇠의 형국이고 재성운이 대궁묘의 형국이다. 따라서 사업가의 사주이다.

③ 건강, 언니 甲木에게 戊午, 대운 戊子, 년에는 천간에서 戊癸합 火로써 합이 겹치게 되므로 정신적인 면에서 어떤 변화가 생길 수 있는 운이다. 동생 寅木은 戊午, 대운 戊子, 년에 운지(運支)에서 상관과 인성이 들어오는 형국이므로 나쁘지 않다. 또한 같은 시기에 쌍둥이 자매에게 재성 운에 해당하는 戊土가 들어오면서 戊癸 합으로 묶이는 현상이 아버지의 사망과 관련이 있어 보인다.

④ 배우자 관계, 관성이 묘궁대좌의 형국이다. 따라서 쌍둥이 자매 중 어느 한쪽은 배우자와의 불안을 예측할 수 있다. 그런데 팔자에서 동생의 남편은 년지의 酉金으로 볼 수 있는데 일지 丑土에 입묘되는 형국이다.

⑤ 결과, 언니와 동생이 같은 木의 성향이고 육친으로도 같은 상관이므로 성격이 비슷할 수 있다. 그러나 행운(行運)에서 형충회합의 관계가 달라지므로 성격이나 적성이 조금 다를 수 있고, 특히 운명은 크게 달라질 수 있다.

사례 18' 남, 壬子, 壬子, 丙子, 庚寅

區分	時	日	月	年	기타
六神	편재	본원	편관	편관	① 일간 : 丙火
天干	庚	丙	壬	壬	② 형은 庚金, 동생은
地支	寅	子	子	子	寅木
六神	편인	정관	정관	정관	③ 형은 식상, 재성운으
支藏干	戊丙甲	壬癸	壬癸	壬癸	로 흐른다.

大運	78	68	58	48	38	28	18	8	동생은 재성, 비겁, 운으 로 흐른다.
	庚	己	戊	丁	丙	乙	甲	癸	④ 식상(土)이 없다.
	辛	未	午	巳	辰	卯	寅	丑	

　　형은 듬직한 성격으로서 대학을 졸업하고, 기업에 취업하였다. 그리고 결혼하여 경제적으로 안정된 생활을 하고 있다.

　　동생은 활발한 성격으로 학교 다닐 때 형보다 공부를 더 잘했고, 대학을 졸업한 후 세무사로 활동하고 있다. 동생도 경제적으로 잘 살고, 형제 모두 배우자와 나이 차가 많다.

▶ 공통점(일주 丙子 중심 간명)

① 비겁(丙,丁), 태궁태(절)종

② 식상(戊,己), 태궁태(절)종

③ 재성(庚,辛), 태궁사(생)종 : 재성운에서 크게 달라질 수 있다.

④ 관성(壬,癸), 태궁왕(록)좌 : 형제 모두 직장운이 좋다.

⑤ 인성(甲,乙), 태궁욕(병)종

　　초년(壬子)운, 초년의 시기에 형은 편관, 동생은 정관운이다. 따라서 쌍둥이 형제 모두 성실했을 가능성이 크다. 다만 동생 寅木의 성향이 육친으로 인성에 해당하고, 년지의 子水가 寅木의 입장에서는 인성에 해당하기 때문에 형보다 동생이 공부에 유리했을 가능성이 크다.

▶ **다른점**(시주 庚寅 중심 간명)

① 성격, 형 庚金의 성향은 겉모습이 강해 보이나 속마음은 순수함이 있다. 동생 寅木은 어질고 착하며 역마의 작용으로 활발하다.

② 배우자 관계, 형 庚金의 배우자는 시지의 寅木이다. 따라서 결혼이 가능한 사주이다. 동생의 배우자는 시지의 지장간에 있는 戊土로 보이는데 년지, 월지, 일지의 지장간과 戊癸 암합을 하고 있다. 따라서 복잡한 모습이다.

그리고 재성운이 태궁사와 태궁생의 형국으로 극단적인 면이 있어서 어느 한쪽은 배우자의 모습이 크게 다를 수 있다. 그러나 정보의 부족으로 쉽게 예단하기는 어렵다.

③ 결과, 이 사례는 쌍둥이의 삶이 조금 비슷하다. 다만 성장기에 있으므로 장래에 어떻게 운명이 바뀔지 예측하기 어렵다. 왜냐하면 재성운이 태궁사(생)의 형국이므로 쌍둥이 형제의 운명이 크게 달라질 가능성이 있기 때문이다.

사례 19' 여, 甲寅, 丙子, 壬子, 庚子

區分	時		日		月		年		기타
六神	편인		본원		편재		식신		① 일간 : 壬水
天干	庚		壬		丙		甲		② 언니는 庚金, 동생은
地支	子		子		子		寅		子水
六神	겁재		겁재		겁재		식신		③ 언니는 재성, 식상운
支藏干	壬癸		壬癸		壬癸		戊丙甲		으로 흐른다.
大運	80	70	60	50	40	30	20	10	동생은 비겁, 인성, 운으
	戊	己	庚	辛	壬	癸	甲	乙	로 흐른다.
	辰	巳	午	未	申	酉	戌	亥	④ 관성(土)이 없다.

언니는 고아원에 위탁된 뒤 미국으로 입양된 후 미국에서 심리학을 전공하여 대학교수로 활동하고 있고, 결혼생활이 원만하다.

동생은 언니와 똑같이 고아원에 위탁되었으나 현재 국내에서 무속인 생활을 하며 혼자서 산다.

▶ **공통점(일주 壬子 중심 간명)**

① 비겁(壬,癸), 왕궁왕(록)좌

② 식상(甲,乙), 왕궁욕(병)종

③ 재성(丙,丁), 왕궁태(절)종

④ 관성(戊,己), 왕궁태(절)좌 : 어느 한쪽이 절의 영향을 받을 수 있다.

⑤ 인성(庚,辛), 왕궁사(생)종

▶ **다른점(시주 庚子 중심 간명)**

① 성격, 언니 庚金의 성향은 겉모습이 강해 보이지만 속마음은 순수함이 있다. 동생 子水는 겉모습은 부드럽지만 계산적이고 냉정한 면이 있다.

② 배우자 관계, 언니 庚金의 배우자는 시지의 월간의 丙火이다. 팔자 원국에 과다한 水 기운을 조절해 주는 역할을 하므로 丙火가 희신이다. 따라서 남편 복이 있다.

동생 子水의 남편은 년지의 지장간에 있는 戊土이다. 그런데 월지, 일지, 시지의 지장간과 戊癸 암합을 하고 있어서 복잡한 형국이다. 즉 관성으로 인해 절의 영향을 받을 수 있는 구조이다.

③ 직업, 언니 庚金의 성향은 육친으로 편인이다. 편인은 종교와 같은 특수한 학문과 관련이 있다.

④ 결과, 이 사례는 水 기운이 몹시 강한 사주이다. 특히 동생 子水는 비겁의 기운이 너무 강해서 남편 戊土에게 영향이 갈 수 있고, 어둡고 차가운 기운을 해소하지 못해 무속인의 길을 가게 되었을 것으로 추정한다.

결국 인성운이 왕궁사(생), 재성운이 왕궁태(절), 관성운이 왕궁태(절)의 형국이므로 쌍둥이 자매가 남편 복, 공부, 재력, 면에서 크게 다른 모습으로 살아갈 가능성이 매우 크다.

사례 20' 여, 丙辰, 戊戌, 癸丑, 己未

區分	時	日	月	年	기타
六神	편관	본원	정관	정재	① 일간 : 癸水
天干	己	癸	戊	丙	② 언니는 己土, 동생은
地支	未	丑	戌	辰	未土
六神	편관	편관	정관	정관	③ 언니는 인성, 관성운
支藏干	丁乙己	癸辛己	辛丁戊	乙癸戊	으로 흐른다.
大運	77 庚 寅	67 辛 卯	57 壬 辰	47 癸 巳	37 甲 午	27 乙 未	17 丙 申	7 丁 酉	동생은 식상, 인성, 운으로 흐른다. ④ 식상, 인성(木金)없다.

언니의 성격은 착하고 여성스럽다. 몸매가 날씬하고 평범한 주부로 살고 있다. 학교 다닐 때 성적이 중하위권에 있었다.

동생의 성격은 남자처럼 조금 강하고, 몸이 큰 편이다. 학교 다닐 때 언니와 다르게 공부를 무척 잘했다. 직업은 소아과 의사이다.

▶ 공통점(일주 癸丑 중심 간명)

① 비겁(癸,壬), 대궁대(쇠)좌 : 어느 한쪽이 성공한 모습이다.

② 식상(乙,甲), 대궁쇠(대)종

③ 재성(丁,丙), 대궁묘(양)종

④ 관성(己,戊), 대궁묘(양)좌 : 어느 한쪽이 묘의 영향을 받을 수 있다.

⑤ 인성(辛,庚), 대궁양(묘)좌

초년(丙辰)운, 언니 己土는 천간으로 재성운이 들어왔고, 동생은 관성운이다. 따라서 언니는 공부에 불리함이 있었을 가능성이 크고 동생은 공부에 유리함이 있었을 가능성이 크다.

▶ 다른점(시주 己未 중심 간명)

① 성격, 언니 己土의 성향은 포용력이 있고 부드럽다. 따라서 여성스럽다.

동생 未土 역시 천간으로 올리면 己土와 같아서 쌍둥이 자매의 성격이 비슷할 것이다. 다만 언니는 천간에 戊癸합이 있어서 정이 많을 수 있고, 동생은 지지가 丑戌未 삼형으로 구성되어 있으므로 언니보다 성격이 강할 수 있다.

② 직업, 언니는 평범한 주부이고, 동생이 소아과 의사이므로 상당한 차이가 발생한다. 직업 운에 해당하는 관성 운에서도 대궁양과 대궁묘의 형국이므로 서로 다르다. 따라서 서로 다른 원인을 팔자에서 찾아야 하는데 언니는 천간을 중요시하고, 동생은 지지를 중요시한다. 즉 지지가 丑戌未 삼합으로 구성되어 있어서 의사의 직업이 동생에게 잘 맞는다.

③ 배우자 관계, 이 사례에서 언니와 동생 모두 시주의 오행이 土이므로 관성은 木이 된다. 그래서 남편이 같은 오행에 해당한다. 그런데 관성 운에서 대궁양과 대궁묘의 형국으로 서로 다른 모습이다. 사례에서는 동생의 남편과 관련된 정보가 없다. 언니는 남편과 원만한 관계를 유지하고 있으므로 대궁양의 형국일 가능성이 크다. 그렇다면 동생이 대궁묘의 영향을 받을 수 있다. 동생이 미혼일 가능성이 크다고 본다.

④ 결과, 이 사례는 시주의 오행이 모두 土이고, 육친으로도 같은 편관이다. 따라서 서로 성격이 비슷할 것이다. 그러나 천간과 지지는 분명한 차이가 있다. 그리고 재성, 관성, 인성, 운에서 대궁묘(양)의 형국으로 서로 다른 모습을 하고 있으므로 쌍둥이 자매의 살아가는 모습도 크게 달라질 수 있다.

사례 21' 남, 癸亥, 庚申, 丁亥, 乙巳

區分	時		日		月		年		기타
六神	편인		본원		정재		편관		① 일간 : 丁火
天干	乙		丁		庚		癸		② 형은 乙木, 동생은
地支	巳		亥		申		亥		巳火
六神	겁재		정관		정재		정관		③ 형은 재성, 식상운으
支藏干	戊庚丙		戊甲壬		戊壬庚		戊甲壬		로 흐른다.
大運	76	66	56	46	36	26	16	6	동생은 비겁, 인성, 운으
	壬	癸	甲	乙	丙	丁	戊	己	로 흐른다.
	子	丑	寅	卯	辰	巳	午	未	④ 식상(土)이 없다.

형은 초등학교 교사로서 전국으로 다니면서 강의를 하는 사람이다. 교육청으로부터 특수직으로 선발되어 해외까지 다니면서 강의를 한다.

동생은 일정한 직업이 없이 여러 가지 일을 하고 있는데 30대 후반부터 백화점 주차요원으로 근무하고 있다.

▶ 공통점(일주 丁亥 중심 간명)

① 비겁(丁,丙), 태궁태(절)종 : 형제의 덕이 약하다.

② 식상(己,戊), 태궁태(절)좌

③ 재성(辛,庚), 태궁욕(병)종

④ 관성(癸,壬), 태궁왕(록)좌

⑤ 인성(乙,甲), 태궁사(생)좌

▶ 다른점(시주 乙巳 중심 간명)

① 성격, 형은 乙木의 성향이므로 부드럽고 온화하며 실리적이다. 동생은 巳火의 성향이므로 밝고, 명랑하며 긍정적이다. 그러나 성급한 면이 있다.

② 직업, 이 사례는 식상 운에서 태궁절과 태궁태의 형국으로 달라진다. 즉 일하는 모습이 절의 형국이라면 변화, 변동이 많을 수밖에 없다. 그리고 태의

형국이라면 아이디어가 풍부하다. 형은 오행으로 乙木에 해당하고 육친으로는 편인이다. 그뿐만 아니라 일간의 丁火와 시지의 丙火가 식상에 해당한다. 따라서 공부와 관련이 있고 말하는 직업에 잘 맞는 구조이다.

　동생 巳火에게 팔자에서 癸水와 亥水는 관성에 해당한다. 그래서 관살혼잡의 구조이다. 그리고 식상운이 태궁절의 형국이고, 관성운은 록왕의 형국이나 태궁에 놓여 있어서 직장의 변화가 많을 수 있다.

　③ 결과, 이 사례는 쌍둥이 형제가 하는 일이 차이가 심하여 그 원인을 분석해 보았는데 식상 운뿐만 아니라 인성 운에서도 태궁생(사)의 형국이므로 극단적인 모습을 보인다. 따라서 이들 쌍둥이 형제의 사는 모습은 다를 수밖에 없다.

사례 22' 여, 甲寅, 甲戌, 甲辰, 庚午

區分	時		日		月		年		기타
六神	편관		본원		비견		비견		① 일간 : 甲木
天干	庚		甲		甲		甲		② 언니는 庚金, 동생은
地支	午		辰		戌		寅		午火
六神	상관		편재		편재		비견		③ 언니는 인성, 관성운
支藏干	丙己丁		乙癸戊		辛丁戊		戊丙甲		으로 흐른다.
大運	77	67	57	47	37	27	17	7	동생은 비겁, 인성, 운으
	壬	癸	甲	乙	丙	丁	戊	己	로 흐른다.
	子	丑	寅	卯	辰	巳	午	未	⑤ 인성(水)이 없다.

쌍둥이 자매의 성격과 사는 모습이 서로 다르다. 언니의 성격은 밝고, 명랑하며 여성스러운 면이 있다. 동생보다 조금 늦게 결혼하였으나 부동산이 많은 집안을 만나서 경제적으로 잘 산다.

동생은 밝고, 명랑하지만 남자 같은 부분이 있고, 껄렁거리는 성격이다. 언니보다 결혼은 먼저 하였고, 경제적으로 힘들게 산다. 남편의 직장 변동이 심하다.

▶ **공통점(일주 甲辰 중심 간명)**

① 비겁(甲,乙), 쇠궁쇠(대)좌 : 형제 중 어느 한쪽이 성공한 모습이다.

② 식상(丙,丁), 쇠궁대(쇠)종

③ 재성(戊,己), 쇠궁대(쇠)좌

④ 관성(庚,辛), 쇠궁양(묘)종

⑤ 인성(壬,癸), 쇠궁묘(양)좌

▶ **다른점(시주 庚午 중심 간명)**

① 성격, 언니는 庚金의 성향이므로 겉모습은 강해 보이나 속마음은 순수함

이 있다. 동생은 午火의 성향이므로 밝고, 명랑하고 긍정적이다. 팔자가 모두 양팔통으로 구성되어 있어서 언니와 동생 모두 밝고, 명랑한 성격이다. 다만 동생이 껄렁거리는 원인은 상관이라는 육친의 성향 때문일 가능성이 크다.

② 배우자 관계, 언니 庚金의 남편은 시지의 午火이다. 근묘화실의 원리에 의해서 결혼이 늦을 수 있다. 그리고 동생의 남편은 일지의 지장간에 있는 癸水이다. 쌍둥이 자매 모두 결혼이 가능한 구조이나 관성 운이 쇠궁양과 쇠궁묘의 형국이므로 남편의 덕이 크게 다를 수 있다.

③ 결과, 언니가 경제적으로 여유롭고, 동생이 힘든 원인을 굳이 팔자에서 논한다면 재성 운은 쇠궁대(쇠)좌이므로 크게 문제되지 않으나 관성 운에서 쇠궁양과 쇠궁묘의 형국으로 차이가 발생한다. 따라서 남편 덕의 차이에서 생기는 원인으로 분석할 수 있다.

사례 23' 남, 乙巳, 甲申, 丙辰, 壬辰

區分	時	日	月	年	기타
六神	편관	본원	편인	정인	① 일간 : 丙火
天干	壬	丙	甲	乙	② 형은 壬水, 동생은
地支	辰	辰	申	巳	辰土
六神	식신	식신	편재	비견	③ 형은 비겁, 인성운으
支藏干	乙癸戊	乙癸戊	戊壬庚	戊庚丙	로 흐른다.

大運	77	67	57	47	37	27	17	7
	丙	丁	戊	己	庚	辛	壬	癸
	子	丑	寅	卯	辰	巳	午	未

(기타 계속)
동생은 인성, 관성, 운으로 흐른다.

형은 키가 큰 편이고, 辛巳 대운에 결혼하였다. 동생은 몸집이 통통한 편이고, 키가 형보다 작다. 미혼으로 살다가 戊寅년 34세 때 교통사고로 사망하였다.

▶ 공통점(일주 丙辰 중심 간명)

① 비겁(丙,丁), 대궁대(쇠)종

② 식상(戊,己), 대궁대(쇠)좌

③ 재성(庚,辛), 대궁양(묘)종

④ 관성(壬,癸), 대궁묘(양)좌

⑤ 인성(甲,乙), 대궁쇠(대)좌

▶ 다른점(시주 壬辰 중심 간명)

① 성격, 형은 壬水의 성향이므로 지혜롭고, 환경 적응력이 뛰어나며 융통성이 있다. 동생은 辰土의 성향이므로 신중하고 과묵하며 책임감이 강하다.

② 배우자 관계, 형의 배우자는 일간의 丙火이다. 재성 운이 대궁양과 대궁묘의 형국이므로 어느 한쪽은 묘의 영향을 받을 수 있다. 그런데 동생의 배우자는 시간의 壬水인데 일지와 시지의 辰土에 입묘되어 있다. 따라서 결혼 한

다고 하더라도 배우자 덕을 기대하기 어렵다.

③ 결과, 동생의 사망 원인을 굳이 팔자에서 찾는다면 辛巳 대운, 戊寅년에는 지지에서 寅巳申 삼형이 이루어지는 형국이다. 또한 월지와 寅申충도 일어난다. 즉 삼형과 충의 작용으로 동생에게 어떤 변동, 변화가 발생할 수 있는 운이다.

이 사례의 중점 분석 사항은 쌍둥이 형은 결혼하였는데 동생이 미혼으로 살다가 교통사고로 사망하였다는 점이다. 물론 더 많은 연구가 필요하겠지만 동생의 교통사고는 인사신 삼형과 인신충의 관계에서 어떤 인과관계가 성립될 수 있다고 본다. 그리고 형이 키가 크고, 동생이 뚱뚱한 원인까지 사주학적으로 분석하기는 어렵다. 다만 쌍둥이는 신체적으로 비슷해 보이나 분명 다르다는 게 의학자들의 주장이다.

사례 24' 남, 丙午, 辛丑, 己丑, 壬申

區分	時	日	月	年	기타
六神	정재	본원	식신	정인	① 일간 : 己土
天干	壬	己	辛	丙	② 형은 壬水, 동생은
地支	申	丑	丑	午	申金
六神	상관	비견	비견	편인	③ 형은 비겁, 식상운으
支藏干	戊壬庚	癸辛己	癸辛己	丙己丁	로 흐른다.

大運	73	63	53	43	33	23	13	3	동생은 재성, 관성, 운으
	己	戊	丁	丙	乙	甲	癸	壬	로 흐른다.
	酉	申	未	午	巳	辰	卯	寅	④ 관성(木)이 없다.

형은 결혼해서 자식이 있고, 택배회사 대리점을 운영하면서 경제적으로 여
유롭게 산다. 동생은 미혼이며 어머니와 같이 살고 있는데 가난하다. 그리고
형의 회사에서 일한다.

▶ 공통점(일주 己丑 중심 간명)
① 비겁(己,戊), 묘궁묘(양)좌
② 식상(辛,庚), 묘궁양(묘)좌
③ 재성(癸,壬), 묘궁대(쇠)좌
④ 관성(乙,甲), 묘궁대(쇠)종
⑤ 인성(丁,丙), 묘궁묘(양)종

▶ 다른점(시주 壬申 중심 간명)
① 성격, 형은 壬水의 성향이므로 지혜롭고, 환경 적응력이 뛰어나며 융통성
이 있다. 동생은 申金의 성향이므로 의리와 의협심이 강하고 겉모습은 강해
보이나 속마음은 순수하다.
② 배우자 관계, 형 壬水의 배우자는 년지의 午火가 정재이므로 배우자가

된다. 그러나 동생의 배우자는 팔자에서 찾아볼 수 없다. 다만 13 癸卯 대운에서 재성운이 들어오나 너무 이른 나이이므로 이루어지기 힘들다.

③ 결과, 이 사례에서 차이점은 쌍둥이 형은 결혼했는데 동생이 미혼이라는 점이다. 그리고 동생이 어머니와 함께 살고 있다는 점도 중요 분석사항이 될 수 있다. 형의 배우자는 사주팔자에서 쉽게 찾을 수 있다.

그리고 시지의 동생 申金이 월지와 일지로부터 생을 받고 있는데 지장간에서 戊癸 암합을 하는 형국이다. 즉 인성의 도움을 받고 지장간에서 서로 합을 이루는 모습이다. 그뿐만 아니라 인성운이 묘궁묘와 묘궁양의 형국이므로 어느 한 사람은 어머니를 모시는 모습이 될 수 있고, 다른 한 사람은 묘묘의 형상처럼 떨어져서 사는 모습으로 볼 수 있겠다.

사례 25' 여, 己未, 壬申, 丁未, 辛亥

區分	時	日	月	年	기타
六神	편재	본원	정관	식신	① 일간 : 丁火
天干	辛	丁	壬	己	② 언니는 辛金, 동생은
地支	亥	未	申	未	亥水
六神	정관	식신	정재	식신	③ 언니는 식상, 재성운
支藏干	戊甲壬	丁乙己	戊壬庚	丁乙己	으로 흐른다.

大運	80	70	60	50	40	30	20	10	동생은 인성, 비겁, 운으
	庚	己	戊	丁	丙	乙	甲	癸	로 흐른다.
	辰	卯	寅	丑	子	亥	戌	酉	④ 인성(木)이 없다.

언니와 동생이 같은 대학에서 같은 전공으로 공부를 마쳤으나 진로는 서로 다르다. 언니는 동생보다 늦게 결혼하였으나 원만한 가정생활을 유지하고, 동생은 언니보다 빨리 결혼해서 살다가 한번 이혼하고 다른 사람과 재혼하여 산다.

▶ 공통점(일주 丁未 중심 간명)

① 비겁(丁,丙), 대궁대(쇠)좌

② 식상(己,戊), 대궁대(쇠)좌

③ 재성(辛,庚), 대궁쇠(대)종

④ 관성(癸,壬), 대궁묘(양)종

⑤ 인성(乙,甲), 대궁양(묘)좌

▶ 다른점(시주 辛亥 중심 간명)

① 성격, 언니는 辛金의 성향이므로 겉모습이 부드러워 보이나 속은 야무지고 단단하다. 동생은 亥水의 성향이므로 지혜롭고 융통성이 있으나 어두운 면도 있다.

② 배우자 관계, 언니 辛金의 배우자는 일간의 丁火이다. 따라서 결혼이 가

능한 구조이다. 그리고 동생 亥水의 남편은 년지의 未土와 일지의 未土이다. 동생은 년지의 편관인 未土를 빨리 만나서 헤어진 후 다시 일지의 未土를 만났을 가능성이 크다. 관성에 해당하는 운도 대궁묘와 대궁양의 형국이므로 어느 한쪽은 묘의 영향을 받을 수 있다. 언니의 결혼이 늦은 이유는 근묘화실의 원리에 의해서 일간에 남편이 위치하고 있기 때문이다.

③ 결과, 이 사례는 관성 운에서 대궁묘와 대궁양의 형국으로 달라지는데 시주간명법의 원리에 의하면 어느 쪽이 묘의 영향을 받게 되는지 쉽게 분석할 수 있다.

사례 26' 여, 丙辰, 辛丑, 丁亥, 甲辰

區分	時		日		月		年		기타
六神	정인		본원		편재		겁재		① 일간 : 丁火
天干	甲		丁		辛		丙		② 언니는 甲木, 동생은
地支	辰		亥		丑		辰		辰土
六神	상관		정관		식신		상관		③ 언니는 관성, 재성운
支藏干	乙癸戊		戊甲壬		癸辛己		乙癸戊		으로 흐른다.
大運	78	68	58	48	38	28	18	8	동생은 재성, 식상, 운으
	癸	甲	乙	丙	丁	戊	己	庚	로 흐른다.
	巳	午	未	申	酉	戌	亥	子	

5분 차이의 쌍둥이 자매이다. 언니는 여러 가지 일을 하면서 살았었는데, 18 己亥대운, 壬午(2002)년에 질병에 걸려서 27세 나이로 사망하였다. 동생은 같은 해에 결혼하였다. 직업은 간호사이다.

▶ 공통점(일주 丁亥 중심 간명)

① 비겁(丁,丙), 태궁태(절)종 : 쌍둥이 자매의 인연이 끊어질 수 있다.

② 식상(己,戊), 태궁태(절)좌

③ 재성(辛,庚), 태궁욕(병)종

④ 관성(癸,壬), 태궁왕(록)좌

⑤ 인성(乙,甲), 태궁사(생)좌

▶ 다른점(시주 甲辰 중심 간명)

① 성격, 언니는 甲木의 성향이므로 자기주장이 강하고 자존심과 고집이 세다. 동생은 辰土의 성향이므로 중후하고 과묵하면서 책임감이 강하다.

② 건강 및 자매의 관계, 비겁과 식상운이 태궁태와 태궁절의 형국이다. 자매의 인연이 절의 영향으로 끊어질 수 있는 운이다. 건강도 어느 한쪽이 절의 영향을 받을 수 있다.

그렇다면 어느 쪽이 凶火를 당하게 될지는 시주에서 살펴봐야 알 수 있다. 그런데 언니 甲木은 己亥 대운 때 甲己합으로 자신이 묶이게 될 뿐만 아니라 壬午년에는 천간이 丁壬합, 丙辛합으로 모두 묶이게 되어 천간은 모든 작용력이 정지된다. 언니로서는 대흉이 될 수밖에 없다. 그런데 동생은 壬午년에 운지와 일지가 午亥 암합을 하고 있다. 따라서 동생의 결혼과 관련이 있다.

　③ 결과, 이 사례에서 쌍둥이 자매의 운명이 극단적으로 달라진 원인은 대운과 세운의 흐름이 언니 甲木에게 흉으로 작용하였고, 동생에게는 길로 작용하였기 때문이다.

사례 27' 여, 丁未, 癸丑, 壬寅, 癸卯

區分	時	日	月	年	기타
六神	겁재	본원	겁재	정재	① 일간 : 壬水
天干	癸	壬	癸	丁	② 언니는 癸水, 동생은
地支	卯	寅	丑	未	卯木
六神	상관	식신	정관	정관	③ 언니는 식상, 재성운
支藏干	甲乙	戊丙甲	癸辛己	丁乙己	으로 흐른다.

大運	71	61	51	41	31	21	11	1	동생은 비겁, 식상, 운으로 흐른다.
	辛	庚	己	戊	丁	丙	乙	甲	④ 인성(金)이 없다.
	酉	申	未	午	巳	辰	卯	寅	

언니의 성격은 괴팍하면서 욕심이 많다. 대학 시절에 학생회 활동을 하였고, 졸업 후 직장 생활을 하던 중 乙亥년(1995년)에 결혼하였다. 의사인 배우자를 만났고 가정생활은 원만하다. 자식 사랑이 대단하다.

동생은 구속받는 것을 아주 싫어하는 성격이다. 대학을 중퇴하고 전국의 명산을 떠돌아다녔고, 辛巳년(2001년)에 결혼하였으나 다음 해인 壬午년에 이혼하였다.

▶ **공통점(일주 壬寅 중심 간명)**

① 비겁(壬,癸), 병궁병(욕)종 : 쌍둥이 자매가 무척 활동적이다.

② 식상(甲,乙), 병궁록(왕)좌

③ 재성(丙,丁), 병궁생(사)좌

④ 관성(戊,己), 병궁생(사)좌 : 어느 한쪽은 남편의 덕을 기대하기 어렵다.

⑤ 인성(庚,辛), 병궁절(태)종

▶ **다른점(시주 癸卯 중심 간명)**

① 성격, 언니는 癸水의 성향이므로 겉모습은 부드러워 보이나 냉정함이 있고, 자기 잘 난 척하는 성향이 있다. 육친의 성향이 겁재이므로 욕심이 많을

것이다. 동생은 卯木의 성향이므로 겉모습은 부드러워 보이나 성급한 면이 있고, 육친의 성향이 상관이므로 다재다능하고 자유를 추구하는 성향이 있다.

② 배우자 관계, 언니 癸水의 남편은 년지와 월지에 丑土와 未土가 관성이므로 남편이 될 수 있다. 그리고 같은 기둥인 시지에 식신을 깔고 있는 형국이므로 자식 사랑도 강할 수 있다.

동생의 남편은 월지의 지장간에 있는 辛金이다. 辛巳년에 월지와 巳丑합으로 결혼이 가능하였으나 壬午년에는 오화에 辛金이 녹는 형국이다.

③ 결과, 이 사례에서 동생이 대학을 중퇴한 원인은 21 丙辰 대운이 동생 卯木에게 재성운에 해당하고, 辰土에 水 인성이 입묘되는 형국이다. 결국 관성운이 병궁생과 병궁사의 형국이므로 남편의 복이 극단적으로 달라질 수 있고, 인성운이 병궁절과 병궁태의 형국이므로 어느 한쪽의 공부 중단을 예측할 수 있다.

사례 28' 여, 甲子, 癸酉, 癸丑, 壬子

區分	時		日		月		年		기타
六神	겁재		본원		비견		상관		① 일간 : 癸水
天干	壬		癸		癸		甲		② 언니는 壬水, 동생은
地支	子		丑		酉		子		子水
六神	비견		편관		편인		비견		③ 언니는 비견, 인성운
支藏干	壬癸		癸辛己		庚辛		壬癸		으로 흐른다.
大運	73	63	53	43	33	23	13	3	동생은 인성, 재성, 운으
	乙	丙	丁	戊	己	庚	辛	壬	로 흐른다.
	丑	寅	卯	辰	巳	午	未	申	④ 재성(火)이 없다.

쌍둥이 언니와 동생이 1-2분 차이로 태어났다. 서로의 성격은 비슷하고, 초, 중, 고, 대학교까지 학과는 다르지만 같은 학교를 나왔다. 결혼은 언니가 1년 빨리했다. 언니는 학교 때 장학금을 받을 만큼 공부를 잘했고, 교육과 관련된 공무원이다. 그리고 고향을 떠나지 않고 집 가까운 곳에서 근무하고 있다.

동생은 공부에 관심이 없었고, 화장품 공학과를 졸업하여 상품기획 마케팅 업무를 하고 있다. 고향을 떠나 서울에서 거주하고 있는데 이직이 많다.

▶ **공통점(일주 癸丑 중심 간명)**
① 비겁(癸,壬), 대궁대(쇠)좌
② 식상(乙,甲), 대궁쇠(대)종
③ 재성(丁,丙), 대궁묘(양)종
④ 관성(己,戊), 대궁묘(양)좌
⑤ 인성(辛,庚), 대궁양(묘)좌

▶ **다른점(시주 壬子 중심 간명)**
① 성격, 언니는 壬水의 성향이므로 지혜롭고 융통성이 있으나 속마음을 드러내지 않아 답답하고 비밀이 많다. 그리고 육친으로 겁재의 성향이므로 지는

- 144 -

것을 싫어하여 경쟁력이 있다.

　동생은 子水의 성향이므로 겉모습은 부드러워 보이나 냉정하고 어두운 면을 가지고 있다. 그리고 육친으로는 비견의 성향이므로 고집이 세고 독립심이 강하다.

　② 배우자 관계, 언니 壬水와 동생 子水에게 일지의 丑土가 관성이 되므로 남편이 될 수 있다. 그런데 언니 壬水에게 정관이 되고 동생 子水에게 편관이 된다.

　③ 결과, 이 사례는 대운의 흐름에 따라서 운명이 달라지는 사례로 보인다. 언니의 대운은 운간에서 인성과 관성 대운으로 흐르고, 동생의 대운은 운지의 흐름이 13辛未 대운에서 월지를 충하고, 23庚午 대운 때는 시지를 충한다. 따라서 변화가 많을 수 있는 운의 흐름이다.

사례 29' 남자, 戊午, 丁巳, 丙申, 丙申

區分	時	日	月	年	기타
六神	비견	본원	겁재	식신	① 일간 : 丙火
天干	丙	丙	丁	戊	② 형은 丙火, 동생은 申金
地支	申	申	巳	午	③ 형은 식상, 재성운으로 흐른다.
六神	편재	편재	비견	겁재	동생은 관성, 비겁, 운으로 흐른다.
支藏干	戊壬庚	戊壬庚	戊庚丙	丙己丁	④인성,관성(木,水) 없다.
大運	71 乙 丑	61 甲 子	51 癸 亥	41 壬 戌	31 辛 酉	21 庚 申	11 己 未	1 戊 午	

형은 일반대학을 졸업하였고, 직업도 일정하지 않아 경제적으로 동생보다 어렵게 산다. 그리고 동생보다 1년 먼저 결혼 하였으나 이혼하였다.

동생은 공부를 잘하여 명문대학을 졸업하였고, 대기업에 취업하여 경제적으로 여유롭게 산다. 그리고 부부간에 화목하다.

▶ 공통점(일주 丙申 중심 간명)

① 비겁(丙,丁), 병궁병(욕)종

② 식상(戊,己), 병궁병(욕)좌

③ 재성(庚,辛), 병궁록(왕)좌

④ 관성(壬,癸), 병궁생(사)좌 : 관성운이 극단적으로 달라진다.

⑤ 인성(甲,乙), 병궁절(태)종

▶ 다른점(시주 丙申 중심 간명)

① 성격, 형은 丙火의 성향이므로 밝고, 명랑하고 긍정적이다. 다만 성급한 면이 있고 싫증을 빨리 느끼는 성격이다. 동생은 申金은 냉정해 보이나 의리와 의협심이 강하고 재주와 유모가 많다.

② 배우자 관계, 형 丙火의 배우자는 일지와 시지에 있는 申金이다. 그런데 21庚申 대운과 31辛酉 대운에서 재성 운이 들어왔다. 이 시기에 결혼한 것으로 보이고, 또 이 시기에 이혼도 했을 것이다. 즉 31辛酉 대운 때 병신(丙辛)합으로 비견과 재성이 묶이게 되므로 불운이다. 그뿐만 아니라 경제적으로 어려운 이유는 재성 운이 들어올 때 군겁쟁재(群劫爭財)가 발생하기 때문이다.

동생의 배우자는 팔자에 없다. 대운에서도 들어오지 않는다. 그러나 재성운이 병궁록과 병궁왕의 형국이다. 즉 쌍둥이 형제 모두 능력 있는 배우자를 만날 수 있으나 병궁의 영향으로 헤어질 수도 있는 명이다.

③ 결과, 이 사례는 관성운이 병궁생과 병궁사의 형국으로 갈린다. 그리고 대운의 흐름도 동생에게 좋은 방향이다. 따라서 쌍둥이 형제의 사는 모습이 크게 다를 수 있다.

사례 30' 여자, 乙丑, 甲申, 丙午, 乙未

區分	時		日		月		年		기타
六神	정인		본원		편인		정인		① 일간 : 丙火
天干	乙		丙		甲		乙		② 언니는 乙木, 동생은
地支	未		午		申		丑		未土
六神	상관		겁재		편재		상관		③ 언니는 비견, 식상운
支藏干	丁乙己		丙己丁		戊壬庚		癸辛己		으로 흐른다.
大運	71	61	51	41	31	21	11	1	동생은 식상, 재성, 운으
	壬	辛	庚	己	戊	丁	丙	乙	로 흐른다.
	辰	卯	寅	丑	子	亥	戌	酉	④ 관성(水)이 없다.

3분 차이로 태어난 쌍둥이 자매이다. 두 사람 모두 미혼이다. 심지어 남자 친구를 사귀어 본 사실도 없다. 언니는 건강이 좋지 않은 편이나 큰 문제는 없고, 직장이 안정적이지 못하고, 일을 많이 하는 사람이다. 동생은 건강이 심하게 좋지 못하여 공황장애, 불안증 및 경련과 빈혈 등으로 일하지 못하고, 바깥 활동에 지장이 많다.

▶ **공통점(일주 丙午 중심 간명)**
① 비겁(丙,丁), 왕궁왕(록)좌
② 식상(戊,己), 왕궁왕(록)좌
③ 재성(庚,辛), 왕궁욕(병)종
④ 관성(壬,癸), 왕궁태(절)좌
⑤ 인성(甲,乙), 왕궁사(생)종

▶ **다른점(시주 乙未 중심 간명)**
① 성격, 언니는 乙木의 성향이므로 부드럽고 온순하다. 그리고 정인의 성향은 자애로운 면이 있다. 동생은 未土의 성향이므로 포용력이 있고 속마음을

밖으로 잘 표출하지 않는 성격이다. 상관은 다재다능하고 파격적인 면도 있다.

② 배우자 관련, 언니 乙木의 남자는 월지의 申金인데 년지 丑土에 입묘되어 있다. 그리고 운에서 정관 庚金이 오게 되면 년간의 乙木과 乙庚합으로 묶이게 되고, 편관 辛金이 오게 되면 일간 丙火와 丙辛합으로 묶이게 된다. 따라서 몹시 결혼하기 힘든 사주의 구조이다.

동생 未土의 남자는 월간의 甲木이다. 그리고 사주 원국에 관살이 혼잡하여 남자가 많을 수도 있는 구조이다. 그러나 관성에 해당하는 木이 공망이고, 시지 未土에 갑을 목이 모두 입묘되어 있다. 따라서 동생도 공망과 입묘의 영향으로 남자의 덕을 입기 어려운 구조이다.

③ 건강 관련, 식상 운이 왕궁록왕의 형국이므로 건강에 문제가 없어 보이나 사주 원국에서 丙午 일주의 화기가 동생 未土에게 영향을 끼칠 것으로 추정해 본다.

④ 이 사례는 관성 운이 왕궁절태의 형국이다. 따라서 남편의 덕을 기대하기 어려운 구조인데, 시주를 기준으로 살펴봐도 공망을 맞았거나 입묘가 되어 있어서 쌍둥이 자매 모두 결혼하기 힘든 사주이다.

사례 31' 여자, 乙丑, 己丑, 戊辰, 壬戌.

區分	時	日	月	年	기타
六神	편재	본원	겁재	정관	① 일간 : 戊土
天干	壬	戊	己	乙	② 언니는 壬水, 동생은
地支	戌	辰	丑	丑	戊土
六神	비견	겁재	겁재	겁재	③ 언니는 인성, 비겁운
支藏干	辛丁戊	乙癸戊	癸辛己	癸辛己	으로 흐른다.

大運	74	64	54	44	34	24	14	4	동생은 관성, 인성, 운으
	丁	丙	乙	甲	癸	壬	辛	庚	로 흐른다.
	酉	申	未	午	巳	辰	卯	寅	④ 인성, 식상(火,金)없다.

쌍둥이 두 사람 모두 미혼이다. 그리고 서로 하는 일이 다르다. 언니는 원단, 섬유, 인테리어, 디자인, 등 하는 일에 변동이 심하다. 동생은 세무 회사에서 장기간 근무하면서 세무사 시험공부를 하고 있다.

▶ 공통점(일주 戊辰 중심 간명)
① 비겁(戊,己), 대궁대(쇠)좌
② 식상(庚,辛), 대궁양(묘)종
③ 재성(壬,癸), 대궁묘(양)좌
④ 관성(甲,乙), 대궁쇠(대)좌
⑤ 인성(丙,丁), 대궁대(쇠)종

▶ 다른점(시주 乙未 중심 간명)
① 성격, 언니는 壬水의 성향이므로 지혜롭고, 융통성이 있으나 속이 어둡고 답답한 면이 있다. 동생은 戊土의 성향이므로 중후하고 중립적인 면이 있으며 책임감이 강하다.
② 직업관계, 식상운이 대궁양과 대궁묘의 형국이다. 따라서 어느 한쪽은 묘의 작용으로 머리를 쓰는 일이 잘 맞을 것이다. 그런데 시간의 언니 壬水에게

월간 己土와 일간의 戊土가 관성에 해당한다. 따라서 관살혼잡으로 사업보다는 직업 변동이 많은 직장에 잘 맞는 구조이다.

그리고 동생 戊土는 년지와 월지의 丑土가 丑戌 형살을 이룬다. 물론 형살의 작용만으로 세무사와 관련된 일을 한다고 주장하기에는 무리가 있을 수 있다. 그럼에도 불구하고 지지가 모두 화개살로 형성되어 있어서 육체적인 일보다 정신노동이 맞을 수 있다.

③ 배우자 관계, 언니 壬水의 남자는 월간의 己土이다. 그리고 동생 戊土의 남자는 년간의 乙木이다. 따라서 쌍둥이 자매 모두 결혼이 가능한 구조이다.

④ 결과, 사주를 가지고 하는 일까지 분석하기는 쉬운 일이 아니다. 다만 운의 흐름으로 보아 동생이 늦게까지 공부할 수 있는 명이다.

【질문 사항 1】

▶ 만약 천간과 지지가 모두 음양이 같은 오행의 구조로 되어 있으면 어떻게 간명하는 가요? 예를 들어 乙卯년, 乙卯월, 乙卯일, 乙卯시에 태어난 쌍둥이가 있다면 두 사람의 운명이 같다는 결과가 나오잖아요?

<예시> 乙卯, 乙卯, 乙卯, 乙卯, 여명.

時	日	月	年
비견	일원	비견	비견
(아신)	(비견)	(비견)	(비견)
(乙)	乙	乙	乙
(卯)	卯	卯	卯
비견	비견	비견	비견
(아신)	(비견)	(비견)	(비견)
甲乙	甲乙	甲乙	甲乙

77	67	57	47	37	27	17	7
癸	壬	辛	庚	己	戊	丁	丙
亥	戌	酉	申	未	午	巳	辰

▶ **공통점(일주 乙卯 중심 간명)**

① 비겁(乙,甲), 록궁록(왕)좌

② 식상(丁,丙), 록궁병(욕)종

③ 재성(己,戊), 록궁병(욕)종

④ 관성(辛,庚), 록궁절(태)종

⑤ 인성(癸,壬), 록궁생(사)종

▶ 다른점(시주 乙卯 중심 간명)

① 성격이 언니와 동생 모두 乙木의 성향으로 볼 수 있다. 육친으로도 같은 비견이다. 그래서 성격은 서로 비슷할 것이다. 그러나 엄밀히 따지면 乙木과 卯木은 서로 다르다. 乙木은 외유내강형이라고 할 수 있고, 卯木은 토끼의 성질을 가지고 있어서 성급한 면이 있다. 그럼에도 불구하고 쌍둥이 자매의 성격은 비슷할 것이다.

② 사주팔자에는 없다고 하더라도 비겁, 식상, 재성, 관성, 인성의 기운은 모두 작용하는 법이다. 따라서 이 사례의 자매들은 관성운이 록궁절태이므로 어느 한쪽은 남자의 덕이 약할 수도 있다. 그리고 인성운이 록궁생사의 형국이므로 서로 극단적인 모습도 보인다.

③ 그렇다면 시주가 같은데 쌍둥이 자매의 다른 모습을 어떤 방법으로 확인하느냐? 라는 것이다. 행운(行運)에 따라 달라진다. 즉 천간으로는 운간의 작용에 의해 천갑합과 천간충의 작용이 일어나고, 지지로는 운지의 작용으로 인해 형,충,회,합의 작용이 발생한다. 따라서 운의 흐름을 보고 길흉의 관계를 살펴야 한다.

【질문 사항 2】

▶ 성별이 다른 이란성 쌍둥이의 사주도 이와 같은 방법으로 해석하면 되는 건가요?

저자는 수년 동안 성별이 같은 쌍둥이 사주만을 대상으로 연구를 했습니다. 성별이 다른 이란성 쌍둥이의 사주는 지금까지 실증분석을 해 본 사례가 없습니다. 그래서 답변하기 어렵습니다. 다만 성별이 다르면 대운의 적용법이 다르고 육친 관계가 달라지므로 굳이 이런 방법을 사용할 필요가 없다고 생각합니다. 일반인 사주와 같이 일간을 중심으로 간명하면 될 것으로 생각합니다.

【질문 사항 3】

▶ 그러면 3명 이상의 다란성 쌍둥이 사주에 관해서는 어떤 방법으로 간명해야 하는가요

저자는 앞에서 말했듯이 성별이 같은 쌍둥이 사주만을 대상으로 연구하였습니다. 다란성 쌍둥이에 대해서는 지금까지 실증분석을 해 본 사례가 없습니다. 그래서 답변하기 어렵습니다. 그리고 이미 이론편에서 시주간명법 이론에 관해서 구체적으로 설명하였습니다. 참고하시면 도움이 될 것입니다.

요 점 정 리

번호	제목	내용
1	사주구성	·일간중심(일반인 사주구성과 동일) ·다만 시주를 형(언니)과 동생으로 나누어서 보므로 형(언니)의 사주는 시간 중심으로, 동생은 시주 중심으로 사주를 구성하여 분석한다.
2	성격분석	·형(언니) : 시간의 오행, 육친 참고 ·동생 시지의 오행, 육친 참고
3	행운의 작용	·형(언니) : 운간을 천간에 대입 　　　　　(천간합, 천간충) ·동생 : 운지를 지지에 대입 　　　　　(형,충,회,합)
4	기타	·일반인 사주는 일간을 중심으로 월지를 격으로 본다. ·쌍둥이 사주는 일간을 중심으로 시주를 격으로 본다.(시간은 형의 격, 시지는 동생의 격) ·시기별 운의 흐름은 천간은 모두 형(언니)의 운으로 보고, 지지의 흐름은 모두 동생의 운으로 본다. ·다만 전체적인 운의 분석은 천간,지지 구별하지 않고 팔자를 모두 본다. 　즉 배우자 운을 본다면 천간, 지지에서 배우자를 찾아서 분석한다.

3. 종합 사례분석 결과

본 저자가 연구한 쌍둥이 사주에 관한 시지지장간간명법을 비롯하여 재야에서 통용되는 쌍둥이 사주 간명법에 관해서 그 이론과 실제 사례를 분석해 보았다. 현재 재야의 학자들이 활용하고 있는 쌍둥이 사주의 간명법은 모두 15개로 총정리할 수 있다.

저자는 그 15개에 해당하는 쌍둥이 사주의 간명법 중에서 이론의 분석을 통해 실효성이 없다고 판단되는 13개의 간명법을 실증분석의 대상에서 먼저 제외하였다. 왜냐하면 연구를 단순화시켜서 집중적이고 효율적인 연구를 진행하기 위해서이다.

저자는 수년 동안 쌍둥이 사주 간명법 15개를 대상으로 모두 실증분석을 해 보았다. 그러나 대부분 이론이 비과학적일 뿐만 아니라 비효율적이라는 사실을 확인할 수 있었다. 물론 연구에 실익이 있다고 생각되는 간명법도 있었다. 그것이 바로 시주격국간명법과 시주간명법이다. 이들 간명법은 유사한 면이 많다. 어떤 점이 유사한가에 관해서는 이미 이론편에서 설명하였으므로 생략하겠다.

저자는 이러한 과정을 통해서 「쌍둥이 사주의 명리학적 간명에 관한 연구」라는 제목으로 박사 학위 논문을 발표하였다. 그러나 연구논문에서는 쌍둥이 사주의 개략적인 이론과 연구의 진행 과정을 소개하였을 뿐이다. 결국 어떤 간명법이 쌍둥이 사주를 효율적으로 간명할 수 있는가에 관해서 결론을 도출해 내지 못했다. 단순히 저자가 연구했던 시지지장간간명법의 논리성을 주장했을 뿐이다.

이러한 과정을 통해서 터득한 이론이 바로 쌍둥이의 공통점을 먼저 분석한 후 시주를 활용해서 차이점을 확인하는 간명법이다. 저자는 이와 같은 이론에 관해서 특별한 명칭을 부여하지 않겠다. 왜냐하면 시주간명법이나 시주격국간명법과 크게 다를 바가 없기 때문이다. 다만 이 간명법을 활용하게 되면 쌍둥이 사주를 쉽게 간명할 수 있다는 점을 강조하고 싶을 뿐이다.

저자가 시주간명법과 시주격국간명법을 제외한 나머지 쌍둥이 사주에 관한 이론들에 관해서 비과학적이고 비효율적이라고 주장하는 이유는 다음과 같다.

첫째, 이들 간명법은 대부분 원천의 이론에서 분리되어 새롭게 만들어진 변형된 이론들이다. 즉 원천의 이론인 대합법이나 대충법 등이 사주풀이에 맞지 않게 되자 이들 이론을 조금씩 변형시켜서 활용했을 뿐이다.

둘째, 원천에 해당하는 대합법이나 대충법의 이론에 관해서 충분히 실증분석을 해 보았다. 그 결과 실제 사례와 전혀 맞지 않는 결과가 나왔다. 따라서 이들 쌍둥이 사주의 간명법은 이론의 분석만으로도 그 가치에 대한 평가를 충분히 하였다고 생각한다.

셋째, 이들의 이론은 실제 존재하나 활용하는 학자들이 거의 없다는 점에서 연구할 만한 가치의 필요성을 느끼지 못했다. 물론 재야의 극소수에 해당하는 학자가 학문적인 의미에서 연구할 수는 있다. 그러나 실용화되어 있지 않아서 구체적인 사용법이나 실효성에 관해서 알려진 게 없다.

넷째, 이들 이론은 원천을 찾아보기 어렵다. 어떤 근거로 누가 언제 이런 간명법을 만들게 되었고 이론의 체계나 완결된 부분을 찾아볼 수 없다.

저자가 쌍둥이 사주에 가장 효율적이라고 주장하는 쌍둥이 사주의 공통점과 차이점에 관한 이론은 시주간명법과 시주격국간명법을 혼용한 이론이라고 할 수 있다. 그리고 시주간명법과 시주격국간명법은 사주를 인위적으로 변경하지 않는다는 점에서 상통(相通)하는 면이 있다.

그런데 시주격국간명법은 시주(時柱)를 활용하여 쌍둥이의 사주를 풀이한다. 일반적으로 일간을 체(體)로 보고, 時干을 형의 격으로 보며 쌍둥이 동생의 격은 時支로 본다. 이 간명법은 실증분석을 통한 사례분석의 결과 어느 정도 적중률이 있다는 사실을 확인할 수 있었다. 그것은 時柱를 활용해서 쌍둥이의 사주를 해석하기 때문이라고 말할 수 있다. 즉 日柱가 아닌 時柱를 쌍둥이 사주에 활용한다는 사실만으로도 사실관계에 접근할 가능성이 크다.

그러나 시주격국간명법의 문제점은 일간을 쌍둥이 형제의 체(體)로 보기 때문에 성격을 서로 다르게 분석하기 어렵다. 그리고 시주가 간여지동(干與支同)에 해당할 때는 쌍둥이 형제의 격이 서로 같아질 수밖에 없다. 그렇게 되면 격국과 용신 그리고 대운까지 모두 같아지기 때문에 결국 쌍둥이의 운명도 같아야 한다는 결론에 이르게 된다.

이러한 모순을 극복한 이론이 시주간명법 이론이라고 생각한다. 시주간명법 이론은 時干을 형의 체용(體用)으로 보고, 時支를 동생의 체용(體用)으로 본다. 따라서 성격의 분석부터 시주격국간명법과 차이를 보인다. 그리고 이들 이론은 자평법의 격국용신론을 일부 변형한 이론으로써 時柱를 쌍둥이 사주에 활용할 생각을 가졌다는 점에서 어느 정도 효과를 얻을 수 있었다고 평가할 수 있다.

그러나 이들 이론만으로 쌍둥이 사주를 해석하기에는 무리가 있다. 왜냐하면 대운의 적용법과 운기의 흐름을 일반인의 사주와 같은 방법으로 보기 때문이다. 저자는 이러한 문제점을 발견하고 시행착오를 거듭한 끝에 천간과 지지를 분리하게 된 것이다. 즉 천간의 흐름을 형(언니)의 운으로 분석하고, 지지의 흐름을 동생의 운으로 분석하게 된 것이다. 대운의 흐름도 운간은 천간으로 흐르고, 운지는 지지로만 흐르게 된다는 것을 터득하게 되었다.

물론 저자가 주장하는 쌍둥이 사주의 간명법이 완벽한 이론이라고 할 수는 없다. 그리고 명리학에서 완벽한 이론은 존재할 수 없는 것이다. 다만 완벽할 수 있도록 노력할 뿐이다. 그래서 독자들의 평가를 받고자 한다. 저자가 주장하는 이론을 충분히 이해하고, 학습하여 더 발전된 이론을 누군가가 발표할 수 있기를 기대한다. 그러나 사주를 차시법이나 대합법 그리고 대운순역법처럼 인위적으로 바꾸는 행위는 안 했으면 좋겠다. 결국 사주는 태어난 시간을 그대로 적용해야 한다. 쌍둥이가 태어난 시간을 그대로 적용하는 것은 사주

명리의 이치(理致)상 지극히 당연한 원리이다. 누가 언제 어떤 근거로 사주를 인위적으로 변경하는 간명법을 만들었는지 관련 문헌이 없어서 알 수는 없다. 그러나 너무 비과학적이고 비효율적이다. 물론 저자가 주장하는 이론도 확실한 근거를 제시할 수 없다. 단순히 명리원전인 『삼명통회(三命通會)』에서 주장하는 '심천과 선후'에 대한 논리와 『자평진전』 <논처자>편에 나와 있는 '목욕이면 한 쌍둥이로서 길상을 보존하며'라는 부분에서 12운성론이 쌍둥이 사주에 활용되었다는 정도를 주장할 수 있을 뿐이다.

V. 결론

1. 연구 결과 요약

1) 명리 원전 이론에 관한 연구 결과

명리원전에 나와 있는 쌍둥이 사주의 이론은 모두 네 가지로 구분할 수 있다.

첫째, 차시법에 관한 이론이다.

둘째, 『三命通會』의 여명의 사주에 寅申巳亥가 많으면 쌍둥이를 낳는 기운을 가지고 있다. 亥 수가 많으면 남자 쌍둥이를 낳는 기운이 강하고, 巳 화가 많으면 여자 쌍둥이를 낳는 기운이 강하다. 라는 이론이다.

셋째, 『三命通會』의 일간음양간명법(日干陰陽看命法)의 이론이다. 즉 일간이 陽干이면 형이 잘 되고, 陰干이면 동생이 잘 된다는 논리다.

넷째, 전당서계영건원비지「錢塘舒繼英乾元秘旨」의 쌍둥이를 구별함에 있어 명주가 아주 왕하면 동생이 잘살고, 명주가 약하면 형이 잘살고, 명주가 왕하지도 약하지도 않으면 형제가 비슷하다. 라는 이론이다.

이와 같은 명리원전의 네 가지 간명법에 관한 연구분석 결과는 다음과 같다.

첫째, 차시법의 이론은 쌍둥이 사주의 간명에 적합하지 않다. 논자가 실증분석을 통해서 확인한 결과에 따르면 사례와 전혀 맞지 않는 해석의 결과가 나왔다. 그뿐만 아니라 차시법의 근거를 명리원전에서 전혀 찾아볼 수가 없었다. 명리원전에 나와 있는 쌍둥이의 사례는 모두 태어난 시간이 서로 다르다. 따라서 쌍둥이가 실제 태어난 시간으로 각각 간명하였을 뿐이다. 결국 같은 시간에 태어난 쌍둥이 사주의 간명법에 관해서는 명리원전에서 찾아볼 수가 없었다.

위와 같이 차시법의 이론은 같은 날 같은 시간에 태어난 쌍둥이 사주에는 실효성이 없는 것으로 확인되었다. 만약 차시법의 이론이 타당하다면 쌍둥이 형제 중 최소한 한 사람의 운명만큼은 예측 가능하여야 한다. 왜냐하면 쌍둥이 형의 사주는 태어난 시간을 그대로 적용하고, 다만 동생이 태어난 시간을 형이 태어난 다음 시간으로 간명하기 때문이다.

과거에는 사주명리학자들이 차시법 이론을 가장 많이 활용하였던 것이 사실이다. 그리고 어느 정도 적중률도 있었을 것으로 추정한다. 왜냐하면 과거에는 쌍둥이가 같은 시간에 태어나기보다는 서로 시간을 달리해서 태어나는 경우가 많았기 때문이다. 그러나 현대에는 의학의 발달로 인하여 같은 날 같은 시간에 태어나는 쌍둥이가 많아졌다. 따라서 적중률을 기대할 수 없게 된 것이다. 그래서 최근에는 쌍둥이 사주에 차시법을 활용하는 학자가 감소하는 추세이다.

그리고 오늘날 쌍둥이의 출산은 대부분 제왕절개(帝王切開) 수술로 태어난다. 따라서 태어나는 시간의 차이가 좁혀졌다. 불과 몇 초 단위로 쌍둥이가 태어나고 있다. 그래서 차시법의 이론은 사멸할 수밖에 없다. 그래도 차시법을 활용하는 학자들은 '사주를 푸는 과정에서 일부 맞는 부분이 있다.'라고 주장할 수 있다. 그러나 그것은 모든 사주를 푸는 과정에서 생기는 우연의 일치에 해당하는 현상일 뿐이다.

둘째, "여명의 사주에 寅申巳亥가 많으면 쌍둥이를 낳는 기운을 가지고 있다. 亥 수가 많으면 남자 쌍둥이를 낳는 기운이 강하고, 巳 화가 많으면 여자 쌍둥이를 낳는 기운이 강하다."라는 이론은 어느 정도 타당성이 있는 이론으로 확인되었다. 논자가 쌍둥이 자녀를 둔 여자 10명의 사주를 수집하여 분석해 본 결과, 그 여명의 사주에는 모두 寅申巳亥의 글자가 한 개 이상 지지(地支)에 자리하고 있었다. 즉 쌍둥이를 낳는 여명의 사주에는 반드시 寅申巳亥

의 글자가 한 글자 이상 존재한다는 사실을 확인하였다. 그리고 사주에 寅申巳亥의 기운이 없는 여자가 쌍둥이를 낳은 사례는 아직 발견하지 못했다. 따라서 『三命痛會』에서 주장하는 이 이론은 어느 정도 타당성이 있다고 본다. 그러나 여명의 사주에 寅申巳亥의 기운이 있다고 하여 반드시 쌍둥이를 낳는 것은 아니다. 따라서 이 이론은 '쌍둥이 자녀를 둔 여명의 사주에는 寅申巳亥의 기운이 있다.'라는 정도로 이해하면 될 것으로 보인다. 즉 사주를 간명할 때 적극적으로 활용할 수 있는 정도는 아니라는 것이다. 다음은 쌍둥이 자녀를 둔 여명의 사주를 표로 작성하여 설명하고자 한다.

쌍둥이 자녀를 둔 여명사주

연번	여명의 사주	쌍둥이 성별	기타
1	시 일 월 년 申 己 己 丁 戌 巳 酉 卯	여자 쌍둥이	巳 : 정인
2	丁 壬 壬 壬 未 申 寅 子	남자 쌍둥이	寅 : 편재 申 : 편인
3	庚 丙 壬 壬 寅 子 子 子	남자 쌍둥이	寅 : 편인
4	壬 壬 壬 庚 寅 午 午 寅	남자 쌍둥이	寅 : 식신 寅 : 식신
5	甲 辛 丁 庚 午 丑 亥 午	남자 쌍둥이	亥 : 상관
6	丁 戊 戊 辛 巳 戌 戌 巳	남자 쌍둥이	巳 : 편인 巳 : 편인
7	癸 辛 乙 壬 巳 亥 巳 子	남자 쌍둥이	巳 : 정관 亥 : 상관 巳 : 정관
8	辛 庚 丙 乙 巳 寅 戌 丑	남자1, 여자1	巳 : 편관 寅 : 편재
9	丙 乙 丁 甲 戌 丑 丑 寅	남자1, 여자1	寅 : 겁재
10	丁 庚 乙 庚 亥 子 酉 申	남자1, 여자1	亥 : 식신 申 : 비견

위 표와 같이 쌍둥이 자녀를 둔 여명의 사주에서 寅申巳亥의 기운을 확인할 수 있었다. 그러나 특정한 오행이나 육친은 존재하지 않았다. 즉 쌍둥이 자녀를 둔 여명의 사주에는 寅申巳亥의 기운이 있다는 정도의 공통점 외에 다른 특징은 찾아볼 수 없었다. 일설에 의하면 '편인이 많은 여자가 쌍둥이를 출산한다.'라는 말이 있으나 사실과 다름을 확인할 수 있었다.

셋째, "일간의 음양으로 보아 형이 양(陽) 일생인 양 간이면 잘살고, 동생이 음(陰) 일생으로 음 간이면 잘산다"라는 이론은 중국 명나라 시대 때의 생활상을 기준으로 만들어졌던 이론이다. 그 시대에는 오늘날처럼 쌍둥이의 출생률이 높지 않았고, 출생의 시간도 서로 달랐을 가능성이 크다. 그러나 현대에는 쌍둥이의 출생률도 높고, 태어나는 시간도 대부분 같은 시간이다. 그리고 잘산다는 기준을 단순히 경제적인 면에서만 바라볼 수 없는 것이 현실이다. 즉 결혼이나 건강 그리고 직업과 학력 같은 요소를 배제할 수 없기 때문이다. 결국 잘산다는 기준부터 과거와 오늘날의 기준이 애매모호 하다는 생각이 든다.

따라서 논자는 잘산다는 기준을 설정하면서 경제적인 면을 가장 중요시 하였다. 그러나 결혼한 사람을 미혼자보다 우선으로 기준을 설정하였다. 그리고 이혼 경력이 있거나 건강이 좋지 못한 사람은 잘산다는 기준에서 불리하게 적용하였다.

이번 연구 결과에 의하면 양 일생인 양 간에 해당하는 사례는 모두 15개이다. (사례 2, 6, 7, 8, 10, 12, 14, 18, 19, 22, 23, 27, 29, 30,31) 그중에서 형이나 언니가 잘사는 경우는 모두 9개(사례 2, 7, 8, 10, 19, 22, 23, 27, 30)이다. 그리고 동생이 잘사는 경우는 4개(사례 6, 12, 29, 31)이다. 나머지 2개의 경우(사례 14, 18)는 형이나 언니 그리고 동생이 비교적 안정적으로 살면서 경제적으로 비슷하여 구별하기 어려운 경우이다.

음(陰) 일생인 음 간에 해당하는 사례는 모두 16개이다. (사례 1, 3, 4, 5, 9, 11, 13, 15, 16, 17, 20, 21, 24, 25, 26, 28) 그중에서 동생이 더 잘 사는 경우는 8개이다. (사례 4, 9, 11, 13, 15, 16, 20, 26) 그리고 형이나 언니가 더 잘 사는 경우는 6개에 해당한다. (사례 1, 3, 21, 24, 25, 28) 나머지 2개(사례 5, 17)는 형이나 언니가 경제적으로 조금 여유로우나 진급이나 건강에서 불리한 면이 있어서 꼭 더 잘산다고 볼 수 없는 경우이다. 다음은 양간과 음간을 기준으로 한 쌍둥이 간명법을 표로 설명하고자 한다.

양간, 음간에 의한 간명법 분석표

양간(15개 사례)			음간(16개 사례)		
형이 잘사는 사례	동생이 잘사는 사례	비슷	형이 잘사는 사례	동생이 잘사는 사례	비슷
2, 7, 8, 10, 19, 22, 23, 27, 30.	6,12,29.31.	14,18.	1, 3, 21, 24, 25, 28.	4, 9, 11, 13, 15, 16, 20, 26.	5,17.
총9개	총4개	총2개	총6개	총8개	총2개

위와 같이 이번 연구 결과를 놓고 보면 일간음양간명법(日干陰陽看命法) 이론이 타당하다고 말하기에는 무리가 있다. 그렇다고 전혀 근거가 없는 이론도 아니다. 왜냐하면 이 이론이 주장하는 결과가 뒤바뀌지 않았고, 적중률은 그다지 높지 않지만 그래도 어느 정도 적중률을 나타내고 있기 때문이다. 그러나 실용화할 수 있는 이론은 아니다. 시대 상황의 변화에 따라서 이와 같은 간명법을 적극적으로 활용해야 할 필요성이 없기 때문이다. 즉 적중률이 그다지 높지 않을 뿐만 아니라 환경의 변화가 급변하고 있기 때문이다. 다만 참고할 정도라고 생각한다.

넷째, "쌍둥이를 구별함에 있어 명주가 아주 왕하면 동생이 잘살고, 명주가 약하면 형이 잘살고, 명주가 왕하지도 약하지도 않으면 형제가 비슷하다."라는 이론의 연구 결과는 다음과 같다.

쌍둥이 사주를 분석한 결과, 사례 30개 중에서 신왕한 사주는 14개(사례 3, 7, 8, 9, 12, 14, 15, 17, 19, 24, 28, 29, 30, 31)이고, 신약한 사주는 14개(사례 1, 2, 4, 5, 10, 13, 18, 20, 21, 22, 23, 25, 26, 27)이다. 그리고 왕하지도 않고 약하지도 않은 사례는 3개(사례 6, 11, 16)이다.

그런데 특별히 신왕하거나 신약해서 생기는 공통점이나 차이점은 발견할 수 없었다. 즉 신왕하면 동생이 잘산다고 하였으나 동생이 잘사는 경우는 신왕한 사주 13개 중에서 5개(사례 9, 12, 15, 29, 31)에 불과하고, 형이나 언니가 잘사는 경우의 사례는 8개(사례 3, 7, 8, 17, 19, 24, 28, 30)이다. 그리고 나머지 1개(사례14)는 비슷하게 사는 경우이다.

또한 신약한 사주는 형이 잘산다고 하였는데 신약한 사주 14개 중에서 형이나 언니가 잘사는 경우의 사례는 9개(사례, 1, 2, 5, 10, 21, 22, 23, 25, 27)이고, 동생이 잘사는 경우의 사례는 3개(사례 4, 20, 26)이다. 나머지 2개(사례 13, 18)는 형제가 비슷하게 사는 경우이다.

그리고 신왕하지도 않고 신약하지도 않은 사례 3개(사례 6, 11, 16)는 특별히 형제가 비슷하게 살지도 않았다. 사례 3개 모두 동생이 잘산다. 특히 사례 2개의 경우에는 동생은 잘사는데 언니가 이혼 및 생사불명이 된 경우로 극단적인 차이가 발생하기도 하였다. 결국 이 이론은 실효성이 없다고 본다. 다음은 신왕하거나 신약한 사주의 사례를 표로 설명하고자 한다.

신강, 신약에 의한 간명법 분석표

신강사주(14개 사례)			신약사주(14개 사례)			중화(3개)
형이 잘삶	동생이 잘삶	비슷	형이 잘삶	동생이 잘삶	비슷	6,11,16.
3, 7, 8, 17, 19, 24, 28, 30.	9, 12, 15, 29.31.	14	1, 2, 5, 10, 21, 22, 23, 25, 27.	4,20,26.	13,18.	
총8개	총5개	총1개	총8개	총3개	총2개	동생이 잘산다.

위와 같이 신약하면 형이 잘살고, 신강하면 동생이 잘산다는 간명법은 현대 사회에서는 잘 맞지 않는 간명법이다. 심지어 이 이론이 주장하는 사실의 결과가 뒤바뀌는 현상까지 발생하였다. 즉 신왕하면 동생이 잘산다고 하였으나 오히려 형이나 언니가 잘사는 경우의 사례가 더 많은 것으로 확인되었다.

그리고 아쉽게도 이 이론이 맞지 않는 원인을 찾을 방법은 없다. 다만 시간의 변화에 따라서 환경이 많이 변했기 때문이라고 추정하는 정도이다. 즉 쌍둥이를 자연분만으로만 출산하던 명나라 시대 때와 의학의 발달로 인하여 단시간에 다량성 쌍둥이가 출생하는 현대 사회는 시간과 공간에 있어서 많은 변화와 차이가 생길 수밖에 없기 때문이다.

2) 현대 쌍둥이 간명법에 관한 연구 결과

현대의 사주명리학자들이 쌍둥이 사주를 보는 방법은 크게 15개의 간명법으로 구분할 수가 있다. 이미 전Ⅲ항에서 현대의 쌍둥이 사주 간명 이론에 대한 구체적인 내용을 살펴보았다. 그리고 전Ⅳ항에서 쌍둥이 사주 31개의 사례를 제시하여 실증 분석해 보았다. 이들 사례를 대상으로 쌍둥이의 성격, 배우자와의 관계, 건강, 직업, 등 객관적으로 확인된 사실에 대해서 시주간명법과 시주격국간명법을 혼용한 방법으로 사례분석을 하였다.

그 결과 실제 사례들과 매우 유사한 해석이 가능하였다. 따라서 본 저자는 앞에서 주장한 바와 같이 쌍둥이 사주에 관해서는 먼저 일주를 중심으로 공통점을 분석한 후 시주를 중심으로 구체적인 차이점을 분석하는 간명법이 가장 효율적이라고 생각한다. 그래서 이러한 방법을 쌍둥이 사주의 간명법으로 획일화시킬 필요가 있다고 본다. 물론 더 많은 연구가 필요할 것이다.

다음은 현재 재야에서 많이 활용하고 있는 쌍둥이 사주의 간명법 몇 가지에 대해서 그 논리적인 면과 문제점에 대해 살펴보겠다. 현재 재야에서 쌍둥이 사주를 간명하는 대표적인 간명법이 차시법, 대합법, 대운순역법이다. 이 외의 다른 간명법은 실제 사용되지 않고 있다. 물론 개인 학자들이 독단적(獨斷的)으로 다양한 방법을 사용하고 있을 것으로 추정하지만 대부분 이론적 근거가 없는 비과학적인 방법에 불과할 것이다. 그렇다면 차시법, 대합법 대운순역법 순으로 문제점을 위주로 비평해 보겠다.

▶ 차시법의 연구결과

차시법은 명리학자마다 적용하는 방법이 조금씩 다르다. 어떤 학자는 쌍둥이 형의 사주는 태어난 시간을 그대로 적용하고, 동생의 사주를 형이 태어난 다음 시간으로 보는 간명법을 사용한다. 그러나 일부 학자들은 반대로 쌍둥이 동생의 사주를 태어난 시간 그대로 간명하고, 쌍둥이 형의 시간은 동생이 태어난 시간보다 앞당겨서 보는 간명법을 사용한다. 즉 쌍둥이 형의 사주는 태어나기 전의 시간을 적용하는 것이다.

차시법의 장점은 쌍둥이 형제의 태어난 시간이 서로 다를 때 사주를 효과적으로 간명할 수 있다는 점이다. 특히 자연분만의 경우 태어난 시간이 서로 다르고, 그 시간을 정확히 알 수 없을 때 차시법을 활용하여 간명하게 된다면 실효성이 있다고 본다. 물론 쌍둥이의 태어난 시간이 명확하다면 각각 태어난 시간을 그대로 적용해야 한다. 그러나 쌍둥이가 태어난 시간에 차이가 생기고, 그 시간이 불명확하다면 차시법을 활용하는 방법도 방편(方便)이 될 수 있기 때문이다. 결국 사주는 태어난 시간을 그대로 적용해야 한다. 따라서 쌍둥이가 태어난 시간을 그대로 적용하는 것은 사주 명리의 이치(理致)상 지극히 당연한 원리이다.

차시법의 문제점은 같은 날 같은 시간에 태어난 쌍둥이 형제의 사주에는 전혀 실효성이 없다는 것이다. 차시법의 이론에 의하면 쌍둥이 형의 사주 또는 동생의 사주 중에서 최소한 어느 한 사람의 사주는 태어난 시간을 그대로 적용한다. 그리고 사주를 푸는 방법도 특별하지 않고 일반적인 방법을 사용한다. 그렇다면 최소한 쌍둥이 한 사람의 운명이라도 예측 가능해야 하지만 두 사람 모두 운명의 예측이 불가능하다. 따라서 같은 날 같은 시간에 태어난 쌍둥이의 사주는 일반인의 사주처럼 일간을 체(體)로 보게 되면 문제가 발생한다. 결국 차시법 이론은 성별이 같은 일란성 쌍둥이의 사주에는 실효성이 없다.

▶ 대합법의 연구결과

대합법의 이론은 쌍둥이의 형과 동생이 서로 체(體)와 용(用)을 달리하기 때문에 서로의 성향이나 운명을 다르게 분석할 수 있다는 장점이 있다. 즉 대합법의 이론을 적용해서 쌍둥이의 성향이나 운명을 정확히 분석할 수 있느냐의 여부를 떠나서 일단 서로의 운명을 각각 다르게 분석할 수 있다는 것이다.

그러나 실증분석을 통한 실제 사례의 분석에서 적중률인 지극히 낮게 나타났다. 그뿐만 아니라 대합법은 그 형성(形成) 이론에도 문제가 있다. 즉 같은 날 같은 시간에 태어난 쌍둥이가 대합법의 이론을 적용하게 되면 쌍둥이 형제 간에 수많은 시간의 차이가 발생하게 된다. 어떤 경우에는 아버지와 자식의 나이만큼 시간의 차이가 발생하는 때도 있다. 그리고 사주 구성의 기본 원리에 맞지 않는 결과가 나온다. 즉 월두법이나 시두법의 원리에 맞지 않는다는 지적이 따르는 이론이다.

대합법이나 대충법의 형성원리를 이용하게 되면 수많은 경우의 수가 발생하게 된다. 그리고 이들 이론과 같이 인위적으로 쌍둥이의 사주를 만들어서 활용하게 되면 굳이 태어나는 시간을 중요시할 필요도 없다. 따라서 어떤 기둥을 바꾸든 사주를 인위적으로 바꾸는 행위는 사주명리의 기본 이념에 배치되는 행위라고 생각한다. 명리원전에 나와 있는 쌍둥이의 이론을 모두 분석해 보았는데 쌍둥이의 사주를 인위적으로 만들어서 활용한 흔적은 전혀 발견할 수 없었다.

따라서 태어난 고유의 시간을 무시하고 임의로 사주를 만드는 행위는 적절하지 않다고 본다. 이런 점에서 볼 때 대합법은 이론적 근거를 무시하고 학자의 편의에 따라 만들어진 간명법에 불과할 뿐이다. 쌍둥이가 모체(母體) 안에서 대칭으로 자란다는 사실의 발견은 현대 의학의 발달에 따른 것이다. 따라서 최근에 선학들께서 인위적으로 만들어 사용했을 것으로 추정한다. 선학들이 얼마나 답답했으면 이런 방법까지 사용하게 되었을까? 그 마음을 충분히 이해할 수 있겠다.

▶ 대운순역법의 연구결과

대운순역법의 이론에 의하면 쌍둥이 형제의 사주는 태어난 시간을 그대로 적용한다. 다만 동생의 대운을 형과 반대로 활용한다. 따라서 쌍둥이 형제의 격국과 용신 그리고 육친의 관계가 서로 같을 수밖에 없다. 다만 대운의 방향만 달라질 뿐이다. 물론 대운의 방향이 달라지기 때문에 운명이 달라질 수는 있다. 즉 사주가 신약할 경우 인성이나 비겁 대운으로 흐르게 되면 일간이 힘을 받을 수 있어서 좋다. 반대로 식상운이나 재성운으로 흐르게 되면 설기(洩氣)가 심해서 좋지 못하다는 정도로 이해하면 되는 게 대운순역법이다.

대운순역법 이론의 주장에 따른다면 대운의 흐름이 달라지기 때문에 쌍둥이 형제의 운명도 서로 달라진다는 것이다. 그래서 쌍둥이가 서로 다른 삶을 살아가는 원인을 설명할 수 있다는 것이다. 그러니까 쌍둥이의 대운을 바꿔서 해석해 보는 것도 어느 정도의 효과를 기대할 수 있다.

그러나 쌍둥이의 사주가 서로 같은 상태에서 대운의 흐름만 달라지므로 쌍둥이의 성격이나 육친의 관계에는 변화가 없다. 즉 대운순역법의 논리에 의하면 쌍둥이 형제의 성격은 서로 비슷할 수밖에 없고, 육친의 관계도 서로 다를 게 없다.

예를 들어서 쌍둥이 형이 결혼하였다면 동생도 사주 원국에 배우자가 있으므로 결혼을 할 수 있다는 것이다. 그러나 실제 쌍둥이가 살아가는 모습을 보면 그 반대의 결과가 나오는 경우가 많다. 즉 언니는 원만하게 결혼생활을 하는데 동생이 미혼인 경우를 설명하기 어렵다.

최근에 명리학자들이 가장 많이 활용하고 있는 쌍둥이 사주의 간명법이 대운순역법이다. 그러나 적중률이 높아서 사용하는 것이 아니다. 차시법이나 대합법처럼 사주를 인위적으로 변경하지 않고 태어난 시간을 그대로 활용한다는 의미에서 사용할 뿐이다. 그럼에도 대운을 인위적으로 바꾼다는 점에서 비난을 면할 수 없는 이론이다. 즉 대운순역법은 음양의 논리를 정면으로 부정할 뿐만 아니라 적중률도 낮아서 실효성이 없는 이론이다.

2. 연구의 한계 및 시사점

1) 연구의 한계

쌍둥이 사주의 연구에 관한 한계는 크게 두 가지로 나눌 수 있다.

첫째 연구 문헌의 부족이고, 둘째 표본 사례에 관한 정보의 부족이다. 명대(明代)이후 수많은 명리학자가 쌍둥이 사주에 관해 연구를 진행해 온 것은 사실이다. 그러나 그 연구 결과를 기록으로 남기지 않았다. 다음은 구체적으로 연구의 한계에 관해서 기술하고자 한다.

첫째 명리원전에는 쌍둥이 사주의 간명법에 관해 구체적으로 설명하고 있는 문헌이 존재하지 않는다. 萬民英의『三命通會』등 일부 명리원전에서 쌍둥이 사주의 간명법과 몇 개의 사례를 예시로 제시하고 있으나 구체적이지 못하고, 쌍둥이의 태어난 시간도 정확하지 않다. 따라서 혼란을 가중하고 있다. 즉 명리원전을 가지고 쌍둥이 사주를 연구하기에는 문헌의 내용이 너무 부족하다.

현대의 명리학자들도 쌍둥이 사주의 간명법을 구전(口傳)으로만 활용하고 있을 뿐 구체적인 이론을 문헌으로 제시하지 않고 있다. 따라서 쌍둥이 사주를 논하는 문헌이 지극히 부족한 상황이다. 논문도 석사학위 논문「쌍둥이 사주 간명에 관한 연구」(홍득기, 대구한의대학교 석사학위논문, 2015)와 박사학위 논문「쌍둥이 사주의 명리학적 간명에 관한 연구」가 있을뿐이다. 결국 쌍둥이 사주를 문헌만으로 연구하기에는 한계성이 있다.

둘째 쌍둥이 사주의 사례에 관한 표본 조사에서도 한계는 뚜렷하게 나타났다. 즉 쌍둥이의 일대기(一代記)를 학자 개인이 정확하게 알 수는 없는 것이다. 쌍둥이 자신도 살아온 과정을 정확하게 기억하지 못하는 경우가 많다. 그래서 쌍둥이의 삶을 대운별로 구분하여 분석하기에는 한계가 있다. 그뿐만 아니라 각각 태어난 곳과 살아가는 곳이 서로 다를 수 있다. 이러한 공간적인 요소까지 사주 분석에 활용하기에는 연구자 개인의 힘으로는 불가능하다. 그래서 지인이나 공신력이 있는 자료를 통해서 확인된 정보만을 제한적으로 활용할 수밖에 없었다.

결국 쌍둥이 사주의 사례에 대한 정보 부족으로 인해서 대운이나 세운에 의한 분석은 불가능하였고, 실제 확인된 정보만을 활용하여 시기를 추정하는 방법으로 사실관계를 확인할 수밖에 없었다. 그 결과 각 간명법에 따라서 우연의 일치로 풀이가 가능한 경우가 발생하였다. 즉 어떤 간명법이 우연의 일치로 어떤 사실에 접근하게 된다면 그 이론의 합리성에 대해 다시 점검해야 하는 소모적인 현상이 발생하기도 하였다.

현재 일란성 쌍둥이의 출생률은 무척 높아서 그 수를 약 200만명 정도로 추정할 수가 있다. 그래서 일란성 쌍둥이의 표본을 구하는 일은 그다지 어렵지 않았다. 그러나 세 명 이상의 다란성 쌍둥이의 수는 급격히 감소하여 주변에서 다란성 쌍둥이를 찾아보기 어려웠다. 저자가 쌍둥이 사주를 연구하는 약 4년 동안에 세 명 이상의 다란성 쌍둥이를 단 한 명도 만나보지 못했다. 결국 다란성 쌍둥이의 사례를 구할 수가 없어서 다란성 쌍둥이 사주에 관한 사례분석이 불가능하게 되었고, 연구의 한계를 인정할 수밖에 없었다.

그러나 국내에서 다섯 명의 다란성 쌍둥이가 태어난 사실이 있으므로 다란성 쌍둥이에 관한 연구도 절실한 실정이다. 따라서 다란성 쌍둥이의 사주를 풀어낼 수 있는 논리적인 간명법이 필요한 실정이다. 따라서 다섯 명까지 논리의 확장이 가능한 이론을 찾아야 한다. 다행히 최근에 시주간명법이라는 이론이 회자(膾炙)되고 있다. 다란성 쌍둥이에 대비하여 장기적인 연구가 필요하다고 생각한다.

2) 시사점

쌍둥이의 출산은 과연 몇 명까지 가능하겠는가? 라는 질문이 중요한 이유는 쌍둥이 사주를 연구하기 위해서 반드시 알아야 할 문제이기 때문이다. 시주간명법 이론으로는 다섯 명의 쌍둥이까지 사주를 풀이할 수 있는 논리의 확장이

가능하다. 그 외 대합법이나 차시법 등 다른 간명법은 3명 이상의 쌍둥이에게
는 적용할 수 없는 이론이다. 물론 최근에 시주간명법 이론을 주장하는 학자
들도 있으나 아직 시행 단계에 머무르고 있다. 따라서 장기적인 연구의 시간
이 필요하다고 본다. 다음은 국내에서 출생한 다섯쌍둥이에 관한 뉴스를 인용
한다.

> "국내에서 다섯쌍둥이가 태어났다. 1987년 이후 34년 만이다. 2021. 11. 19일 서
> 울대병원에 따르면 다섯쌍둥이가 지난 18일 오후 10시께 태어났다고 밝혔다. 산
> 모는 제왕절개로 여아 4명 남아 1명을 출산했다. (…) 국내에서 다섯쌍둥이가 태
> 어난 것은 1987년 서울대병원에 마지막 기록으로 남겨진 이후 34년 만이다. 수술
> 을 집도한 전종관 서울대병원 산부인과 교수는 "네 쌍둥이는 여러 차례 받아 봤
> 지만 다섯쌍둥이는 처음"이라면서 의료진 모두 아기들이 건강하게 세상에 나오
> 도록 최선을 다했다고 말했다. <아이 뉴스 24, 이정민 기자>"

현재까지 우리나라에서 출산한 다량성 쌍둥이의 수는 최고 5명으로 확인되
었다. 따라서 한 사람의 여성이 한 번에 출산할 수 있는 쌍둥이의 인원은 최
고 5명이 한계라고 생각한다. 다만 외국의 사례는 9명을 출산한 사례도 있다
고 하며 심지어 11명을 임신했다는 설도 있었다.

쌍둥이가 급격하게 증가하게 된 시기는 언제부터인가? 그리고 그 원인은 무
엇이고 앞으로도 쌍둥이의 출생률이 계속 증가할 것인가? 쌍둥이가 증가하게
된 원인은 의학의 발달 때문이다. 그리고 의학이 발달해 갈수록 쌍둥이의 출생
률은 높아질 것으로 예상한다. 이에 비례해서 다란성 쌍둥이 사주에 관한 간명
법도 절실하게 필요할 것으로 생각한다. 다음은 체외수정에 의한 시험관 아기
의 출생에 관한 논문을 인용한다.

> "1985년 10월 12일 우리나라에서 체외수정을 통한 최초의 시험관 아기가 태어
> 났다. 서울대병원 장윤석 박사팀이 제왕절개술로 국내 첫 시험관 아기의 출산에
> 성공했다. 「체외수정에 관한 법률문제 국내 최초의 시험관 아기 탄생을 계기로」
> (이경희, 사법행정 제26권 제11호, 1985)"

이때부터 인공수정에 따른 쌍둥이의 출산율이 급격히 증가하는 것으로 추정한다. 특히 다란성 쌍둥이의 출산율이 증가하고 있다. 2021년도에 출생한 다섯쌍둥이도 인공수정에 의한 출생이다.

국내에서 쌍둥이가 가장 많이 출생한 곳이 어디인가? 이 질문은 시간보다 공간의 중요성에 중점을 둔 질문이다. 쌍둥이의 사주는 태어난 시간과 관련된 사주뿐만 아니라 풍수와 같은 공간의 중요성도 무시할 수 없는 요소이기 때문이다. 다음은 국내외에서 쌍둥이를 가장 많이 출산한 마을에 관한 뉴스를 인용한다.

"100년간 35가구에서 38쌍 태어나 1989년 기네스북 등재, 전남 여수시 소라면 현천1리 중촌마을은 92가구가 사는 작은 마을이지만 쌍둥이가 많아 기네스북에 오른 독특한 이력을 가지고 있다. (여수=연합뉴스) 형민우 기자"

"000명 남짓 살고 있는 인도 케랄라 주 코딘히(Kodinhi)마을에 들어서면 가장 먼저 눈에 띄는 것이 있다. 바로 길거리에서 심심치 않게 만날 수 있는 쌍둥이들이다. 마을에는 현재 220쌍이 넘는 쌍둥이들이 살고 있다. 모두 이 마을 태생이다. 이곳의 쌍둥이 출산율은 지구 전체의 쌍둥이 출산율에 6배에 달할 만큼 높은 수치를 자랑한다.(…) 스리비쥬 박사는 '쌍둥이 수수께끼'의 해답이 이 마을사람들의 식습관과 연관이 있을 것으로 추측하고 있지만 정확한 원인은 아직 분석해내지 못했다. 그는 식습관 외에도 쌍둥이를 출산한 여성들의 평균 신장이 약161cm인데 반해 코딘히 여성들의 평균 신장은 약 152cm정도라는 사실도 분석해 볼 만한 특징으로 꼽았다.(서울신문 나우뉴스) 송혜민 기자"

전남 여수에 있는 중촌마을은 우리나라에서 쌍둥이가 가장 많이 출생한 마을이라고 한다. 그러나 현재는 쌍둥이가 거의 태어나지도 않고, 살지도 않는다고 한다. 그 원인에 대해 알 수는 없으나 도시화 등 각종 지역 개발에 따른 영향으로 생각하는 사람들이 많다. 즉 풍수의 영향을 주장하는 사람들이 많다. 그만큼 쌍둥이의 사주를 간명할 때는 태어난 시간뿐만 아니라 공간적인 요소도 중요하다는 것이다.

그리고 인도의 케랄라 주 코딘히 마을에는 약 2,000명의 인구 중에서 220쌍이 넘는 쌍둥이들이 살고 있다고 한다. 단순하게 생각하면 유전에 의한 출산으로 생각하기 쉽다. 물론 쌍둥이는 유전으로 태어나는 경우가 많다. 그러나 유전적인 요인만 따진다면 쌍둥이의 출산율은 전국적으로 비슷한 수치가 나와야 한다. 따라서 유전뿐만 아니라 풍수의 영향 같은 종합적인 분석이 필요하다고 생각한다.

사람은 누구나 부모를 선택해서 태어날 수는 없고, 태어날 곳을 스스로 선택하지도 못한다. 그러나 거주할 곳은 스스로 선택하여 살아갈 수가 있는 것이다. 따라서 사주의 구조를 살펴서 사주에 필요한 방위(方位)를 선택할 수 있다면 흉(凶)은 피하고 길(吉)을 추구할 수 있다고 본다. 쌍둥이도 형(언니)과 동생의 사주 구성을 살펴서 음양오행의 원리를 적용하여 살아갈 수 있게 한다면 추길피흉(趨吉避凶)의 삶을 추구할 수 있을 것이다.

맺음말

저자가 사주팔자 한 줄 새겨놓고 어두운 밤을 하얗게 지새워야 했던 수많은 시간을 더듬어 본다. 눈앞에 보이는 안전한 길을 피해서 왜 어둡고 험한 길을 걷게 되었는지 지금도 이해할 수 없다. 나와 함께 같은 길을 걷던 친구들은 어렵지 않게 정상에 오른 이도 있다. 물론 내가 정도(正道)를 무시하고 샛길을 선택하였기에 변명할 여지가 없다. 그러함에도 나의 작은 실수의 대가(代價)는 너무 가혹했다. 내가 자유를 포기하고 구석진 곳에 갇혀서 지내야 했던 시간이 너무 길었기 때문이다. 하늘을 나는 새에게도 자유가 있고 땅 위를 기어가는 개미도 자유로운데 왜 나는 그 많은 시간을 갇혀 지내야 했던 것일까?

누군가의 말처럼 이러다가 정말 "헛짓거리"가 되는 게 아닐까, 껌껌한 어둠 속에서 자꾸만 흘러가는 시간은 나에게 공포로 다가왔었다. 나는 지금까지 시간을 되돌렸다는 사람을 만나본 적이 없다. 나 역시 되돌아갈 수 없다는 사실을 잘 알았기에 샛길의 좁은 공간에서 삶의 행로를 찾아야만 했었다. 성공과 실패는 종이 한 장 차이라고 말하지 않는가, 비록 실수해서 잘못 선택한 길이더라도 최소한 살아갈 방법은 있을 거라고 그 수단을 찾아야 한다고 다짐하던 때가 벌써 5년 전의 이야기이다. 그러한 상황 속에서 끝까지 버텨온 나는 이렇게 세상에 책 한 권을 내놓을 수 있었다. 그 책의 제목이 누구나 이해하기 쉬운 쌍둥이 사주 간명법이다.

나의 변명이 너무 길어진 느낌이다. 이제부터는 쌍둥이에 관한 이야기를 해보겠다. 일반적으로 사람들은 쌍둥이에 대해서 유전적인 성향만을 생각하고 쌍둥이는 모든 것이 비슷할 것이라는 생각을 하게 된다. 실제로 쌍둥이는 모습과 행동 그리고 인생을 살아가는 삶에 있어서 어느 정도 비슷한 면이 있는 게 사실이다. 그러나 그것은 어디까지나 겉보기에 불과할 뿐이다. 저자가 책을 저술하기 위해서 몇 사람의 쌍둥이를 만나 보았는데 그 쌍둥이들은 자신들이 많은 부분에서 서로 다르다는 걸 인식하고 있었다. 또한 자신들이 쌍둥이로 태어난 것을 반기지 않는 경우가 많았다. 어떤 쌍둥이는 서로의 불신으로 인해 형제 사이에 깊은 갈등을 안고 살아가는 사례도 있었다. 쌍둥이의 운명이 달라지는 원인에 대해서 명리학적인 접근도 중요하나 양육과 교육 그리고 살아가는 환경 등 후천적인 요인을 무시해서는 안 된다. 쌍둥이는 같은 부모로부터 같은 시간에 태어나지만 성장해 가면서 수많은 환경의 변화를 겪게 된다. 즉 학교를 졸업하고 사회에 진출하기 시작한 이후부터 여러 가지 종류의 인간관계 안에서 삶의 각도가 크게 달라진다.

이와 같은 점을 충분히 인식하고 연구한 책이 『누구나 이해하기 쉬운 쌍둥이 사주 간명법』이다. 그렇다면 이제부터 연구 사례를 가지고 몇 가지 부족한 설명을 부연(敷衍)하겠다.

▶ 사례2의 경우, 관성운이 병궁생과 병궁사의 형국으로 극단적인 모습을 보인다. 여자 쌍둥이 자매이므로 어느 한쪽은 남편의 덕을 기대하기 어렵다. 결과는 한쪽은 기혼이고 다른 한쪽은 미혼이다.

▶ 사례13의 경우, 비겁, 식상, 재성, 관성, 인성, 등 십성의 운이 모두 양궁양이나 양궁묘 또는 양궁대쇠의 형국이다. 십성의 운이 모두 비슷하므로 쌍둥이 자매의 살아가는 모습도 어느 정도 비슷하다.

▶ 사례16의 경우, 비겁운이 병궁병의 형국이다. 쌍둥이 형제가 떨어져 살 수 있는 운명이다. 실제 6. 25 전쟁 때 쌍둥이 자매가 헤어져서 한쪽이 생사 불명이다.

▶ 사례26의 경우, 비겁운이 태궁절(태)와 식상운도 태궁절(태)의 형국이다. 쌍둥이가 서로 끊어질 수 있는 운명이다. 사례에서 언니는 사망하였고, 동생은 언니가 사망한 해에 결혼하였다.

▶ 사례30의 경우, 관성운이 왕궁절(태)의 형국이다 쌍둥이 자매 모두 결혼하지 못했다. 두 자매가 결혼하지 못한 구체적인 원인은 시주를 중심으로 분

석하면 쉽게 찾을 수 있다.

결국 쌍둥이 사주를 해석하기 위해서는 12운성의 좌법과 인종법에 관한 이론을 숙지해야 한다. 물론 12운성에 관한 간명법을 모른다고 하더라도 시주를 중심으로 분석하면 쌍둥이 사주를 충분히 간명할 수 있다. 즉 시주의 시간을 형(언니)의 체용으로 보고, 시지를 동생의 체용으로 봐서 분석한다면 쌍둥이의 운명에 관한 예측이 가능하다. 일주의 지장간을 중심으로 12운성의 좌법과 인종법을 사용하는 근본적인 이유는 쌍둥이 형제의 관계를 미리 예단해 보기 위함이다. 그러나 어느 쪽이 잘 성장할 수 있고 어느 쪽이 힘든 삶을 살아가게 되는가를 분석하기 위해서는 결국 시주간명법을 활용해야 한다.

나는 지금 남루한 옷을 겹겹이 걸치고 추위를 극복하는 중이다. 남들이 보기에 몹시 불쌍해 보일 것이다. 쪼그라진 피부에 머리카락은 듬성듬성 불과 몇 가닥 남아있을 뿐이다. 이미 유행에서 멀어진 나이지만 그래도 아직 목소리는 변하지 않았다. 몸은 늙어도 정신은 늙지 않는다고 하지 않는가, 나 역시 아직 까지는 젊은 놈들 한두 명 정도는 '훅' 한방으로 때려눕힐 수 있는 기백이 있다. 눈이 잘 안 보이고 허리가 아파서 힘이 약해진 건 사실이지만 정신만큼은 누구보다 총명하다고 자신한다. 그러니까 저자의 책에 관해서 부정적으로 바라보지 말고 미래지향적인 생각을 가져 달라는 뜻이다.

쌍둥이의 삶이 다양한 것처럼 저자의 책을 놓고서 학자마다 각각 다른 견해를 보일 수도 있다고 생각한다. 저자는 견해의 차이에 관해서 전혀 부담스러워하지 않을 것이다. 그리고 저자가 이번에 연구한 '시주간명법 + 시주격국간명법+ 일주의 지장간이론 = 쌍둥이 사주 간명법' 이라는 등식의 이론이 쌍둥이 사주의 간명 이론으로 정착화될 수 있길 강력히 희망한다. 물론 명리학에서 완벽(完璧)한 쌍둥이 사주의 간명 이론은 존재하지 않으며 존재할 수도 없다. 학자들은 조금이라도 더 완벽하기 위해 노력을 할 뿐이지 누구든지 완벽한 이론을 만들어 낼 수는 없는 것이다. 그래서 저자의 책도 아직 보완해야 할 사항이 많다고 생각한다. 따라서 저자의 뒤를 이어 쌍둥이 사주를 발전시켜 나갈 수 있는 학자들이 많이 나올 수 있길 희망한다. 앞으로 쌍둥이의 출산율은 계속 증가할 것이고 그에 비례하여 사주 명리학자들의 관심도 높아질 것이라는 기대와 함께 막을 내립니다. 끝.

<참고자료>

1. 고전

『玉照神應眞經』, 『中國哲學書電子化計劃』所收.

萬民英, 『三命通會』(臺北: 武陵出版有限公司, 2011)

徐樂吾 주, 『窮通寶鑑』(臺北: 武陵出版有限公司, 2010)

劉伯溫 원저, 任鐵樵 증주, 袁樹珊 찬집, 『滴天髓闡微』(臺北: 武陵出版有限公司, 2011)

袁樹珊, 『命理探原』(臺北: 武陵出版有限公司, 2011)

陳之潾, 『精選命理約言』(香港: 心一堂, 2015)

沈孝瞻 원저, 徐樂吾 評註, 『子平眞詮評註』(台北: 進源書局, 2006)

2. 단행본

김만태, 『정선명리학강론』, 동방문화대학원대학교, 2020.

郭木樑, 홍수민 역, 『八字時空玄卦(五柱卦)』, 삼명, 2017.

陳素菴, 임정환 역, 『命理約言』, 원제역학연구원, 2006.

구엔도끄, 박수정 역, 『나는 샴쌍둥이 부족하지만 행복해요』, 창해, 2004.

윤태현, 『팔자』, 행림출판, 1987.

조디피콜드, 곽영미 역, 『쌍둥이 별』, 이레, 2008.

3. 논문

홍득기, 「쌍둥이 사주 간명에 관한 연구」, 대구한의대학교 대학원, 2015.

이홍신·김만태, 「쌍둥이[雙生兒] 사주 이론의 분석 및 간명(看命)에 관한 연구, 문
　　　화와융합 제43권 12호(통권88집). 2021.

이경희, 「체외수정에 관한 법률문제 국내 최초의 시험관 아기 탄생을 계기로」, 『사
　　　법행정』 제26권 제11호, 1985.

허윤미, 「유전과 환경요인이 한국의 전 청소년기 쌍둥이들의 공간능력에 미치는 영
　　　향」, 『청소년학연구』 제10권 제2호, 2003.

조윤정, 「쌍둥이의 친사회적 행동에 미치는 유전과 환경의 영향」, 숙명여자대학교
　　　대학원, 2007.

정대붕, 「명리학에서 월지 중심의 간명법과 격국운용에 관한 연구」, 공주대학교, 박

사학위논문, 2013.

이은정, 「쌍둥이를 지도하는 유아교사의 경험」, 배재대학교 대학원, 2013.

김자현, 「한국의 쌍둥이설화 연구」, 전남대학교 대학원, 2007.

성주헌, 「쌍둥이 코호트사업」, 질병관리본부 학술연구 용역과제, 서울대학교, 2013.

손영계, 「쌍둥이 아동의 학급배정에 관한 연구」, 한성대학교 교육대학원, 2003.

윤수인, 「쌍둥이 아동의 기질과 어머니 양육태도」, 숙명여자대학교 대학원, 2007.

윤영순, 「쌍둥이 아동과 일반아동과의 자아개념 발달 비교 연구」, 한성대학교 교육
　　　대학원, 2003.

송유성, 「사주명리학의 조후론 적용에 관한 연구」, 대구한의대학교 대학원, 2012.

저자 소개

    이홍신, 1962년 광주광역시출생, 약 37년 동안 경찰공무원 생활하였고, 가정폭력, 학교폭력 등 여러 가지 어려움을 겪는 사람들을 상담하던 과정에서 명리학의 필요성을 인식하게 되었다. 그래서 이들을 바른 삶으로 인도하고 싶은 욕망에서 명리학을 공부하게 되었고 이론과 실전을 겸비한 자신만의 명리학적 체계를 수립하였다.

    2023년 동방문화대학원 미래예측콘텐츠학과 철학박사

    現 경기 광주 이배재로 388 영산선원 운영.

    저서 『수리 수비학』

            『누구나 쉽게 이해할 수 있는 쌍둥이 사주 간명법』

    논문 「쌍둥이 사주의 명리학적 간명에 관한 연구」

            「쌍둥이 사주 이론의 분석 및 간명에 관한 연구」

            「내담시 연월일시주와 분주의 결합에 관한 연구」

    전화번호 010-3959-8746